経済成長の終焉と生命圏の崩壊

―指数関数の妖怪に呑まれる地球―

経済成長の終焉と生命圏の崩壊

——指数関数の妖怪に呑まれる地球——

岡留恒健

希望

夫々の能力で精一杯働きその成果を分かち合い
相手の幸せを願う微笑みに満ちた存在に進化できたら
人類は何と素敵な生きものだろう

祈り

つづく世代に
少しでも劣化の少ない生命環境が
残りますように

亡き矩子とともに
旅立ちを前に　恒健

目次

第二部　今は死にがいを求めて

第一部　空からみた生命圏の危機と対策

プロローグ

現在の二〇年毎に指数関数で倍増する経済成長をつづける限り、忍び寄る生命環境の危機に対し、如何なる効率的な対策を採っても、指数関数という妖怪にたちまち追いつかれ、すべての対策は呑み込まれてしまう。

経済成長の初期の、一九五〇年の頃から世界経済が崩壊する危険を孕んだ二〇三〇年の頃までの図表を書きながら私は、サン・テグジュペリの絵本の、「星の王子さま」が描いたウワバミが象を呑み込んでいる恐ろしい絵を見て、〈それは帽子だ〉と云って怖がらなかった大人たちを想い出している。

私が今書いている図表が、高度経済成長という指数関数で増える妖怪が、地球を呑み込んでいる絵のように思えたからだ。

一九六〇年の頃の私の初飛行以来、汚れていく地球を空から眺めて、状況の重大さに戦慄を覚えながらも、それを誰にどうやって伝えたものか、私の才覚の低さに途方に暮れて思い余った末、社会を動かすのは政治なので決心して訪ねたのが霞が関の官庁だった。

そして地球を一メートルの球とすると生命圏である対流圏の厚さは一ミリメートルでしかないこと、その生命圏の中が汚れ始めている危機を説明し、対策部門の「省」の設置を唐突に提案したけど、まさに雲上人（うんじょうびと）の私の、当時としては現実離れした提案に唖然とされ、逃げ出すように帰ってきたのが今は懐かしい。一九六三年の頃、霞が関ビルはまだなかった。

それからもこの恐ろしい話を人にすると、人間はそんなに馬鹿じゃない、科学技術が解決する、と云って耳を傾けてくれる人は居なかった。

以来六〇年余、大好きな空から地球の命の行く末を考えながら過ごすのが、年老いて地上に降りてからも、私の生涯に最も自然な生き方になってしまった。

〈鳥観図〉のようなこの図表を眺めていると、高度経済成長の合い言葉、〈消費は美徳〉の時代を生きた、私の足跡のような感慨が湧いてくる。

一方世界人口は、私が社会人になって今までの、たった六〇年余の間でも、三倍にも増えてしまった。

これを生きものの営みから観ると、大発生したバッタに草木を喰い潰されながら、〈砂漠化していく地球の絵〉を連想しないだろうか。

私が社会に出た頃は、会社の独身寮にはまだ洗濯機もない時代だったけど、情報過多に追われて、人の時間を喰い合っているような現在の社会よりも、働く人の繋がりの中に〈連帯し合う〉温かい人の絆が残っていた。

わが身を犠牲にほかの命を助ける話に私たちが感動し涙するのは、命には連帯して繁栄しようとする本能があるからだろう。昔から命たちはこの連帯する本能を「命の掟」として守ってきたのだ。

生命圏の危機に際し人類は争いを止めて協力し、生きものの原点に返り、「人の絆」を取り戻して欲しい。

多忙な方は最初の第二章まででもいい。是非お読み頂きたい。

第一部には、生命環境の劣化の行く末と、それに対する精神論ではなく、第六章に現実的な対策を書いた。
この内容は、高度経済成長のＧＤＰと人口増という、二つの推移の数値と、最高の知性の集団が表明した「世界の科学者から人類への警告」、この三つを裏づけの基本に置いて、私が空を飛びながら鳥観的に地球を観つづけてきた現実とを、その年代の生命圏の変化に合った文献を選び、数千万年の地球の変化の歴史と比較照合しながら、六〇年に亘って毎日考えてきたことを纏めたもので、短期間に情報を集めて書かれた内容ではない。

第二部は目次にあるように、宇宙観や全生物の生き方の根本にある命の掟など、私自身の人類への想いを書いた。それに、命を継承する雌雄として、数一〇億年もの生命の時の流れの中にたった一度、命を与えられた私が、同じ唯一度の儚い命に生れた妻と雌雄として二人、懸命に過ごした生き様を心して率直に描いた。

第一章　生命圏の危機と人類の衰退

危機の概要と迫りくる巨大な難局の壁

一九八〇年の頃、人類の消費が地球の浄化力の限界を超えた。地球は一つ、浄化能力は一定であり、この一定量を超えて消費が出した廃棄物は浄化されず、地球を循環する大気や水や土壌の中に溜まりつづけている。

このことは文献にあるが、文献を読まなくても一九八〇年の頃から地球の氷が眼に見えて解け始め、生物種が急激に減り始めたことや、海や山に散乱するプラスチックゴミや、激しくなった気象の状況でも分かると思う。

高度経済成長の出す膨大な廃棄物により、一九八〇年の頃を境に、気象の異常な変化や地球の自然の営みやあらゆる現象が、眼に見えるほどの変化を始めてしまったのだ。

ひとの眼に見えるほど短期間での地球の変化は、万年単位で変化する地球の歴史からは爆発現象に相当する。

消費が地球の限界を超えて約四〇年、大気中の二酸化炭素だけではなく、水や土壌に残留する廃物と、その処理費が指数関数で増大し、先延ばしにしてきたあらゆる難題が山積みになり、人類の前に立ちはだかっている。

二〇四〇年よりかなり前に、世界経済がこの立ちはだかった壁に衝突する可能性は確実と云えるほど高い。

成長の限界と「鳥観的な図表」とその概略
――指数関数で成長する世界経済と限界の壁――

次の項に、世界の総GDPと人口を使い、一〇〇〇年余の経済成長の推移を、一枚の鳥観図のように読み取れる図表に端的に描いた。

目的が生命圏の危機の理解にあるので、数値はなるべく五や一〇にラフに調整し、経済の況不況の波も均等化して増加率も大略一定にした。

この「鳥観的な図表」を眺めながら、次に書く概略の文章と読み比べて、二〇三〇年の頃に迫る難局の壁を読み取り、その壁に向って指数関数で経済を成長させている政策が如何に無謀なことかを考えて欲しい。

図表の概略

図表の注目点は、名目なので正確には年代間の調整が必要だが、GDPが七〇年間に約二〇倍に、人口は三倍以上に増えたことだ。

大量消費が地球の限界を超えて以来四〇年、資源や環境汚染や人口や食糧などの、あらゆる難題が二〇三〇年の頃に、殆ど同時期に集団化して限界に達し壁を成して人類に迫っている。このまま経済成長をつづければ世界経済は壁に衝突して崩壊し、生命圏の劣化が進み人類は衰退に向かうだろう。

二〇四〇年の巨大なGDPの値を見れば、限界ある一つの地球ではどの路、世界の科学者たちが警告するまでもなく、経済成長の持続が不可能なのは明らかだ。

二〇二二年の「メモ」は重要な黙示だ。平均のGDPは一人一万二千ドルだが、世界の多くの貧者は日に一〜二ドル、多くて年に五百ドル程だ。GDPの成長分は富裕層の帳簿に、電子の数値に変化して貯まりつづけ、貧者や庶民には回らず貧富の差が広がり、蓄財は更に増殖を求めて投資され、森や林は開発されて大型建造物が建設され、生命圏を劣化させている。

基督教国は世界経済に大きな影響力を持つが、イエスはマタイ六章一九で〈蓄えてはならない〉、一九章二一では〈持ちものを売り払い貧しい人に施して私に従え〉と諭し、マルコもルカも〈みな売り払って〜〉と記している。

格差は諸悪の根源、貧富の差が少なければ欲望も世界の争いも、大企業や裕福者の投資による環境破壊も減って経済成長も収まり、大量消費も世界の人口も安定する。

命の未来は世界の富裕層の生き方にかかっている。巨大な蓄財のある企業や裕福者たちは、例えば高率の累進税を受け入れて蓄財を社会全体で分かち合い、その功績を人類の歴史に残して欲しい。

「鳥観的な図表」

この本で図表はこの一枚だけだ。現在世界が直面している生命圏の危機を、極力簡単に見開きに表示した。ちょっとだけ我慢して眺めて欲しい。

西暦	世界人口	経済名目GDP	メモ
一九五〇年	二五億人	四兆ドル	（高度経済成長期の始まり）
一九六〇年	三〇億人	六兆ドル	（ミナマタ訴訟・沈黙の春）
一九八〇年	四五億人	一五兆ドル	（北半球の氷が解け始めた）

大量消費が出す廃棄物の量が地球の復元能力の限界を超えた。

一九九二年　世界の科学者が〈人類の未来が閉ざされてしまう〉と警告。

西暦	世界人口	経済名目GDP	メモ
二〇〇〇年	六〇億人	三五兆ドル	（南極の氷も解け始めた）

二〇一七年　世界の科学者が〈経済成長の持続は不可能〉と警告。

二〇二〇年　七八億人　九〇兆ドル

二〇二二年　八〇億人　一〇〇兆ドル（一人約一万二千ドル）

二〇三〇年予測　八六億人　一三〇兆ドル

対策を先に延ばしたあらゆる難題が同時期に押し寄せ巨大な壁を形成。
以降は壁を無視した場合の値。経済成長率三・五％で推測。

二〇四〇年　九三億人　一八〇兆ドル

二〇五〇年　一〇〇億人　二六〇兆ドル（炭素ニュートラル予定）

経済政策を指数関数で企画するのが、如何に無謀で非現実的なことか、「世界の科学者から人類への警告」・ウェブサイトで確かめて欲しい。

参考文献
D・H・メドウズほか『成長の限界　人類の選択』（ダイヤモンド社、二〇〇五年）
＊序文（エコロジカル・フットプリント）の図1。
一九八〇年の頃に消費や汚染が地球の許容量を超えたと示唆。
＊二一四頁以降。世界構造の崩壊シナリオ一〇種類のシミュレーション。
あらゆる限界が同時期に押し寄せて人類衰退の始まりを示唆。

指数関数という妖怪

過去半世紀余、世界経済成長率は約三・五％だったが、その成長率がつづけばGDPは二〇年後に二倍、四〇年後に四倍、六〇年後に八倍、八〇年後一六倍に増える。八〇年とは日本人の僅か一人の生涯の期間だ。

地球が一つということは、かりに経済成長を持続出来たとしても、地球の廃物の浄化能力は一定量なので、その限界を超えた一九八〇年以降、超えた分の廃棄物は指数関数で増大し、地球の循環の中に溜まりつづける。

辛うじて保たれている世界経済構造のもと、指数関数で倍増する経済活動が排出するプラスチックや、眼に見えない人工化合物などの、あらゆる残留廃棄物の捨て場は既に、地球には残っていない。

残留廃棄物の処理対策をはじめ、経済成長を継続させるために付随する、あらゆる費用や困難が、これも指数関数で膨張している。

会議は開かれるが、巨額の費用と利害関係の調整に時が費やされて対策は進まず、一九八〇年の頃を境に地球の氷が解け始め、生物種が指数関数的に激減し始めた。人類も生物なので一蓮托生、他人事ではない。
対策が遅れるほど難問は指数関数で増幅されてしまう。繰り返し書くが、指数関数で増える経済成長をつづける限り、リサイクル等どんな効率的対策を採っても、指数関数という妖怪に忽ち（たちま）追いつかれ呑み込まれてしまう。

概算に便利な式の紹介
七〇割る％＝二倍。
例えば現在の経済成長率三・五％のＧＤＰは何年で二倍になるか、七〇割る三・五％＝二〇年で倍になる。
この式から百年で四倍に増えた人類の増加率は一・四％。

グローバル経済の崩壊と人類の衰退への路

まず最初に、クリーンエネルギーが有れば環境問題は解決すると思われているかも知れないので書いておきたい。

エネルギー問題をつきつめると、最終的には熱物理法則の説明が必要だが庶民には面妖なので、廃棄物の捨て場の限界の問題として、次の説明にとどめることにした。

輸送用動力エネルギーはクリーンに越したことはない。だがエネルギーがクリーンで無限にあっても、車を含めて製品を製造すればその過程で資源から廃棄物が発生し、製品は使用後に廃物となり累積するが、地球は一つ。

地球の浄化能力は一定であり、その限界を超えた廃物は地球の循環の中に残留し生命圏を劣化させるので、エネルギーがクリーンでも、その使用量は地球の浄化能力の限界で制限される。だから環境問題はエネルギーよりも、経済成長によって指数関数で倍々増する、巨大な廃棄物にある。

そして既に一九八〇年の頃世界経済は地球の浄化能力を超えているのだ。当時の世界のGDPは、これも名目なので正確には年代間の補正が必要だが、僅か一五兆ドルだった。

これに比し最近の世界のGDPは一〇〇兆ドルに増大し、二〇四〇年には一八〇兆ドルに巨大化して膨大な廃物を排出する。しかし限界を超えて以来四〇年も経った地球の循環の中には、廃物を捨てる場所は残っていない。会議は繰り返され、大気中の温室効果ガス、特に炭素の削減が話し合われてきたが、有効な対策を打てずに先延ばしになっている。

環境の問題は【地球の循環の汚れの問題】であり、循環が汚れているのは大気だけではない。水や土壌や生物連鎖の循環も汚れている。

眼には見えない数一〇万種とも云われる人工化合物が残留汚染となって、水や大気や土壌の循環に乗って今も生命圏の中に蓄積し充満しつづけ、生物の中にも濃縮されている。それでも経済成長はつづけられているのだ。

二〇年毎に倍に成長する経済構造を変えない限り、捨て場のない残留廃物の管理費や無害化対策の費用が指数関数で巨大化するので、構造物の保全や福祉や医療や防衛費など、通常の経済構造の維持に必要な固定費用の調達が年を追う毎に圧迫されるなど、あらゆる困難によって現状維持が難しくなり、経済成長の限界の時期が一〇年かそこらの内に迫っているのだ。

それに対策を採っても地球にはタイムラグがあるので、効果が現れるのは、二〜三〇年後になる。ということは対策の対象を三〇年後に設定しなければならないが、その前に二〇年後には経済規模は倍に増えてしまう。

対策が遅れる程、あらゆる難題が指数関数で拡大するので生命圏の崩壊度が深刻になる。指数関数の恐ろしさだ。

一九二九年当時の世界恐慌時には消費を増やして対処できたが、今不況になれば、消費が地球の限界を超えているため、消費を増やし経済を回復させる対策は採れない。

グローバル化した世界経済構造の弱点は、世界各国の経済構造の凹凸を、世界会議で摺り合わせて繋ぎ、空中にジグソウパズル状に辛うじて〈一体化〉しているようなものだ。野菜なら「単一栽培」であり、病気が流行ると全滅しやすい。世界は手造りの文化まで単一グローバル化に向かっている。

経済社会が多様化していれば救済も簡単だが、一体化したために一か所でも破綻すると、世界経済構造は一挙に崩壊して突然物流が止まってしまう。食料や日用品など生産地が世界各地に偏り、それも在庫の効率を追求するため余裕を置いていていない。

そのために物流が止まれば、夫々僅かの買い溜めでも食料や生活必需品が数日の内に店頭から消えてしまう。医療器具や薬品も例外ではない。

特に、先進医療と栄養に健康を支えられてきた富裕国の寿命は一気に短命になり、増え続けていた世界人口は、文明の恩恵に浴してこなかった途上国の貧者も伴に、自然淘汰の形で減少に転じるだろう。

その苦難の時がすぐそこに迫っているのを「鳥観的な図表」が示している。生命圏の危機は、指数関数で倍々に成長する経済によって、ここまで加速してしまったのだ。

【持続して資源を消費するには地球の循環の中で資源が再生されるまでの周期が一巡するのを待たねばならない】。これは宇宙の理だ。

人類が欲望に任せてこの「自然の掟」に背いてきたため、処理が不可能な大量の残留汚染の大きな壁が、人類の前に立ちはだかってしまった。

第二章　危機の歴史と科学者の警告・貧富の差は諸悪の根源

人類への警告の歴史
——一九八〇年の頃、大量消費が地球の限界を超えた——

一九六〇年、私の初飛行の頃の空は既にスモッグで汚れ始め、子どもたちは喘息で苦しんでいた。

海では水銀の汚染により漁民が苦しみはじめ、以後訴訟が延々とつづく「ミナマタ闘争」が起きていた。水銀の害は今も世界の鉱山で起きている。

同じ頃、レイチェル・カーソン著「沈黙の春」が農薬による環境の汚染を指摘。小鳥の啼かない春が来ると警告し、世界の企業に衝撃を与えた。

一九七〇年の頃、国連事務総長が〈一〇年以内に対処しないと環境の悪化は人類の手に負えなくなる〉と警告した。同じ頃「成長の限界」が出版され、消費は地球の限界を超えることはできない、と当然のことを警告した。だが大国の指導者によってこの〈不都合な〉警告は無視され、世界は安い石油を使って高度経済成長を追い求め、一〇年が経った。その結果、

一九八〇年の頃、地球環境の指標によると人類の消費が出す汚染の量が、地球の循環が無償で浄化してくれる能力の限界を超えてしまった。

＊前出『成長の限界 人類の選択』序文を参照。

限界を超えた証として、北半球の氷雪が眼に見えて解け始め生物種が急激に姿を消し始めた。生命圏の劣化が眼に見え始めたのだ。

人の眼に見える程の変化は、地球の変化の歴史からは爆発的な変容であり、国連事務総長が警告したように、生命圏の劣化が人類の手に負えなくなり始めたのだ。

危機が眼に見え始めてから対策を採っても、対策が地球の循環に行き渡るまでには三〇年位のタイムラグがあるので、その間に生命圏の劣化が進んでしまい対策の規模は全く不充分になってしまう。

「鳥観的な図表」を見れば二〇年先の世界経済が二倍に拡大して、巨大な

規模になるのを見ても、対策遅れの重大さが分かるだろう。

　だが庶民の眼に日々の風景は変わらず四季は美しく巡り、警告を知っても、ではどうすればいいのか、日に二〇〇種或いは年五万種もの生物が絶滅しているという緊急事態にも拘わらず、政治まかせの他人事になり、その庶民の視聴率に左右される報道も一過性で終わってしまう。

　経済成長が排出する、炭素汚染問題への会議は開かれるが、対策は先送りにされて年月だけが過ぎていく。事態を憂慮した科学者たちが、一九九二年に「世界の科学者から人類への警告」（ウェブサイト参照）、を提出し経済成長をつづける危険性を警告した。

　概要は、〈今この機会を逃せば一〇年かそこらの内に危険回避の機会は失われ、人類の未来は閉ざされてしまう〉、という驚愕的な内容だ。

　その警告から更に年が経ち、堪り兼ねた科学者たちによって再度、二〇一七年に「世界の科学者から人類への警告・第二版」が発表された。

　内容は〈今の持続不能な経済成長に替わる持続可能な別の経済構造が必要〉と強く警告し、その地域に合った人口増にも言及し環境に合った適正人口を求めている。

人類は最初の生命圏の劣化の兆しから六〇年、国連の事務総長の警告から五〇年、科学者の最初の悲壮な警告から三〇年もの年月を費やしてしまった。その間、オゾン層対策を除き、殆どの対策は先延ばしになっている。

人類が成功というそのオゾン対策でさえ、科学者の警告から実行に遷るまでに二六年もの年月を要しており、オゾン層が落ち着くのは、更に数一〇年先になる。

対策がここまで遅れてしまった以上、指数関数の曲線の立ち上がりが急になり、時間幅が狭まったために、世界経済構造の崩壊は極く短期間に襲ってくる。

あらゆる対策を先に延ばしてきた人類は、直ぐ目の前に超えられない巨大な壁を迎えてしまった。もう衝突は免れない。如何に衝突の衝撃を小さくするかの段階にある。

無視された世界の科学者の二回の警告
――政治は未来ではなく次の選挙に勝つためにあるのか――

生命圏の危機を前にして科学者と政治家のどちらを信用するのか。つづく世代のために、私たちは政治家と科学者任せの他人ごとでいいはずはない。一九九二年、「世界の科学者から人類への警告」が緊急提出された。警告は同年のリオ環境サミットの結果に危機感を抱いて作成されたもので、ノーベル賞自然科学部門受賞者の殆どが署名し、経済成長の持続は不可能であり経済成長を続ける危険性とその結果の愚かさを示す、科学的に最も信頼できる警告だ。

概要は前に述べたように、〈今この機会を逃せば一〇年かそこらの内に危険回避の機会は失われ人類の未来は閉ざされてしまう〉とあり、人類の未来が無くなるという驚愕的な内容だ。

普段はこの種の署名に大変慎重な、それも千六百名を超える世界の科学者たちが僅か五か月の間にこの警告書の内容に同意し、署名をしたのは極めて異例だ。

それは、指数関数で増える経済の成長の持続は、科学的に不可能なことが疑いを挟む余地のない事実であり、緊急事態ということを意味している。

だがこの警告は大国の首脳により無視された。無視の背景には合法的賄賂とも云える企業の政治献金とロビー活動がある。その法律も往々にして財力によって創られる。（間接的だがSDGs一六・五参照）

それに学説には常に反論文が出るので、内容の当否ではなく、経済成長に好都合な学説が政治的に採用され、対策は先に延ばされてしまうのだ。

堪り兼ねた一万五千名もの科学者たちの署名により再度、二〇一七年、「世界の科学者から人類への警告・第二版」、ウェブサイトが発表され、現状のままでの経済成長の持続は不可能と指摘した。

内容は、前の警告から二五年の間に、生命環境の劣化が急激に進んでしまったことを憂い、悲惨な状況の拡大と生物の絶滅を避けるには、〈現状維持のシナリオに替わる、環境的に持続可能な代替案を実行する必要がある〉と警告している。

ここにある〈現状維持のシナリオ〉とは、名指しはしていないが、この警告の二年前の二〇一五年、「国連サミット」で採用された、〈SDGsの目標八の経済成長維持のシナリオ〉のことであり、指数関数で増加する、現在の物理的に不可能な経済成長のシナリオに替わる代替案が必要、と強い危機感を述べている。

併せて夫々の国や地方の自然環境を破壊しない循環量の範囲内で、消費が持続可能な適正人口を目指すよう奨励し、人口増への危機感を示している。ここで云う適正人口とは、地産地消が可能な範囲の人口と考えればいい。

そして今、富裕国の人口が減る傾向にある。これは世界人口を抑えるのに絶好の機会の筈だ。だが富裕国は世界経済競争に負けるという理由からか、自国の出生率を上げるため、多額の補助金を出したりして子どもを増やそうとしている。別の項に書いた「人口問題」を参照して欲しい。

最も地球の物理的な状況を知っている科学者たちからの、二度目の警告にも世界は反応せず、唯一つの地球上で二〇年毎に消費を倍々に増やすという、物理的に不可能な経済成長を今も追求している。

この経済成長と人口増が出す残留汚染により世界経済構造は限界に達し、現に人類は生命圏の崩壊の壁への路をひたすら進んでいるのだ。

自然現象ではなく、人類の欲望と政治が引き起こした生命圏の劣化だから、科学者が科学的な立場で指導権を取らなければ、政治家は目前の生活が重要な庶民を満足させることで、生命圏の危機よりも次の選挙の票の確保をする方が重要な関心事になってしまう。

選挙運動を聴いていても、生命環境の危機や庶民には勧めているＳＤＧｓでさえ、選挙公約に顔を出さないのが現状だ。

生命圏の危機への解決策は第六章に書くが、その中の対策の一つとして、科学者の奮起とＴＶ局に期待したい。対策の一つとは、日々の報道とは全く異なる次元の、生命環境の危機という緊急事態を広く報じるため、庶民の視聴率と関係なく特にＴＶ局は科学者の立場に立って、「生命圏の危機問題専用チャネル」を創設して欲しい。

科学者たちは、あまりにも物理的に簡単な理屈が通らないので、諦めたのか沈黙している。

科学者たち、特に知名度の高いノーベル賞受賞者たちは諦めず沈黙せず、つづく世代が生息する生命圏の劣化を少しでも減らすため、世界の若者たちの先頭になってどうぞ立ち上がって欲しい。

「環境問題専用チャネル」は、諦めかけている科学者たちに、コロナ対策で観るように政府の会議を通してではなく、警告を直接庶民に訴える、最適な場所を提供するものと考える。

貧富の差は諸悪の根源

――貧富の差は環境破壊と世界の争いと人口爆発の発生源――

私が学生の時、テニスの試合で招かれていった全インド選手権の時に見たのは凄まじい貧富の差だった。テニスの会場やホテルと、その外との生活のあまりもの落差が、初めての外国だった私の心に強烈な印象を植え付けた。

美しく手入れされた芝のテニスコートの近くには、当時まだ四六歳だったマザーテレサの〈死を待つ人々の家〉があった。

後に操縦士になり、飛んで行った南の国々で滞在中、私が見たのは劣悪な生活環境と凄まじい貧富の差だった。

【大量消費と生命環境の破壊と世界紛争と人口の爆発は、貧富の差を介して連動している】。

貧富の差がなければ人は伴に悦びともに哀しみ、支え合って生きていける。人は貧しくても、周りとの格差がなければ難局を迎えても争わず、支え合って生きてきたし、人に優しくもなれるのだ。

あらゆる悪の根源が貧富の差にあるのを念頭に、新聞やTVを観れば世界の紛争や環境破壊の原因や、貧困や犯罪などの身近な社会問題も見えてくるだろう。SDGsの目標一〜四項の理解もしやすくなる。

貧しい国の人口が富裕国よりも増える主な原因は、親が給金を支払わないでも働いてくれる、多くの子どもを必要としていることにある。

貧富の差がある限り争いが増え、貧困層は無償の恵みの森や水を必要とし、経済成長で増殖した富は庶民に回らず富裕層の蓄財に入り、富裕層の蓄財は更に増殖を求め、森林その他の開拓事業に投資されて生命圏を破壊する。それに巨大企業には市場の占有率を広げようとする性（さが）があり、宣伝で欲望を煽って不必要な需要を創り出し、開発して環境を破壊する。

「世界の諸悪の根源は貧富の差にある」。貧富の差がなければ不要な欲望も、投資を煽る経済成長の必要性も減って環境の破壊も減少し、世界の争いや、数千万人ともいわれる世界の難民も、人口爆発も収まるだろう。

国連にある多くの事業費も不要になり、そのお金は途上国に、教育や文化や真に必要な開発事業に回せるだろう。

平等が基本に無ければ民主主義も自由主義も守れないし、生命環境の劣化にも有効な対応はできないだろう。

「新自由主義」が容認する無限の欲望の自由が、世界の貧富の差の発生源であり、貧富の差への不満が独裁者の台頭を容易にしている。

生物種の絶滅

「食べものはほかの命たちが死んでくれた姿」と悟れば、人類も一蓮托生、生物種の多様性の中でしか生きられないのを理解するだろう。

現在、保全生態学者によると一日に二〇〇種とも、年に五万種ともいわれる生物種が加速度状に消滅している。単純計算では三百年かそこらで全生物が絶滅する速さだ。しかし不思議なことに同じ生きものとして一蓮托生の筈の人類が、全生物の絶滅に何か他人事のようだ。

地球の歴史上、生命は約一億年毎に五回絶滅に瀕してきたが、今回の消滅の速さは過去の絶滅時の数百倍もの驚愕的な速さだ。

この消滅の異様な速さから、生命が六回目の絶滅期に入ったのは確実だ。生命圏は将に緊急事態にある。最初の兆しは一九六〇年の頃、「沈黙の春」の出版や「ミナマタ訴訟」となって現れた。

生物種の絶滅の大きな原因は、一九八〇年の頃、人類の消費が地球の限界を超えたことにある。

その結果、大気や水や土壌の循環の中に溜り始めた化学物質が生物連鎖の中で濃縮され、生殖能力を失った生きものたちが姿を消し始めた。

それと共に森林の伐採と、大気中の二酸化炭素やメタンなどの増加によって気温が上昇したことに絶滅の原因がある。

現在の一℃ほどの温暖化でさえ北半球では概略、等温線が一〇年毎に北へ五〇キロメートル、上に五〇メートル昇っているという。

生物が適応できる移動の速度は大雑把に、一〇年で北へ五キロメートル、上に五メートルとも云われるから、生息地は生物の適応能力の一〇倍の速さで、北へ上へと逃げていく。

農業の生産地もこのままでは、上や北に逃げていく環境の変化に適応できなくなり、その郷で代々収穫されてきた特産物などにも、大きな影響がでるだろう。

高山の可憐な植物や極地の白熊たちに逃げ場はない。気候に追いつけない生物種は現に絶滅しているのだ。更に気温が上がれば、種の絶滅率は加速される。

温暖化の場合、気温の上昇率は赤道と極地では三倍の違いがある。赤道が一℃上がると極地では三℃も上昇し、氷や凍土を溶かしてしまうのだ。赤道と極の温度差が広がれば、赤道と極の温度差で流れている海流の位置や速さが変化し、世界の気候や海の生物たちの生存に大きな影響を与える。それに海は、大気から大量の二酸化炭素を吸収し酸性化するので、動植物プランクトンや珊瑚や貝類に大きな影響を与え、海の生物の多様性を破壊するだろう。

命の多様性は生物連鎖の輪の中で、微生物から大型の生きものまで、人間を含めて隣の生物と連帯し、互いに輪になって繋がって安定しているので、いずれかの生物種が絶滅したら両隣との繋がりが切れて一つに繋がっていた輪が壊れて、生物種の調和で成り立つ生命圏が変化してしまう。

特に、生物連鎖の輪の一部を占める微生物は、ほかの生物が出した汚れを分解し元の循環に戻すリサイクルの役目をもつ、大切な生きものということを書いておきたい。それに特効薬の多くは微生物の力を借りている。

生物はその地方に特有の環境に適応し、生物種は連帯し繋栄しているが、生物種は夫々環境への適応性が異なるので、温暖化で気温が変わると、その変化に適応性の強い方の種が大発生する。

これは適応性の強弱の問題なので、干ばつでも長雨でも、生命圏の環境が変われば起きる現象だ。

外来種の侵入もある。これも生物種の激減の原因になっている。その地方には外来種に対応する天敵がいないため、大繁殖して生物種の多様性を破壊する。

政府や自治体はもっと、生態系と日常接している庶民と密に連絡を保ち、生命環境の劣化に更に敏感であって欲しい。（SDGs 一五・八）

月からの感覚で人類を眺めると

月からの感覚で眺めると、人類は彼方の霧の中に確かにある、大きな壁の存在を知りながら、際限なく速度の出る乗り物に乗って、加速しつづけているかのようだ。

それなのにもっと新しいエネルギーで加速しないとエンジンが止まるとか、ブレーキを踏むのは速度計が正しいか確かめてからにしようとか、ブレーキをかけるのは自分の仕事ではない、と言っているように見える。

そしてついに霧の中の壁が姿を現し始めた。それにも拘わらず益々加速しつづけている。

もう急ブレーキを踏んでも衝突の惨事は避けられない。いかに衝撃を少なくするかの段階に入ってしまった。

それでも衝突後、たとえ世界経済構造が崩壊し便利な文明が失われても、人類の素朴な希望と幸せは、破壊の中に残った水とみどりと、ほかの命たちとの連帯の絆の中に生きつづけてくれるだろう。

だが気がかりは、人類が文明を失った後、使い捨ての核燃料の保管を強制された、つづく世代の命たちの行く末を想うと、私は暗澹たる気持ちになる。

第三章　地球の温暖化

異常気象の概念と航空機の運航

一九八〇年の頃から、世界では経験したことのない豪雨豪雪が降ったり、竜巻や強風の被害に驚いたり、山林の大きな火災など異常な気象が増えた。特に最近、洪水や大火の被害が目立つ。これらの原因は人類の科学技術が招いた温暖化によって、大気中にエネルギーが増えたからだ。

水が熱（エネルギー）を含むと姿を変えて水蒸気になる。温暖化で気温が上がると海水が蒸発し、大気中にエネルギーを含んだ水蒸気が増える。その水蒸気が冷えて雲や雨や雪に変る時に、含んでいた莫大なエネルギーを吐き出すので台風や竜巻や積乱雲が巨大化して、強風や豪雨豪雪になる。温暖化が進めば気象の強弱寒暖の差は更に激しくなる。

一九八〇年の頃から、空では気象の変化が眼に見え始めていた。上昇下降気流が乱暴になって、航空機の着陸時の事故が増えたのもその頃からであり、操縦士たちはシミュレーターを使い、強烈な上昇下降気流の中での離着陸の訓練を繰り返していた。

一方、一万メートル辺りを西から東に向かって、なだらかな曲線で地球を取り巻いて流れている偏西風のジェット気流が大きく蛇行を始めていた。ジェット気流の位置は航空機の運航に大きな影響がある。ジェット気流を追い風に利用したり向かい風を避けたりしながら飛ぶので、航路の選び方によって航空機の燃料の消費量が大きく異なるのだ。

ジェット気流の蛇行の南北幅が大きくなったことや、延々と燃えつづけるシベリアの大火を空から観たことや奇妙な現象などを、私が関係部所に報告する回数も増えた。

北半球では、ジェット気流の北に冷たい空気、南には温かい空気がある。そのジェット気流が蛇行しながら東に移動すると、蛇行の麓（ふもと）の南の国に季節外れの大雪が降ったり、蛇行の頂上の北の国に夏日がやってきたりする。

寒気と暖気が蛇行しながら連なって通り過ぎる地上では、蛇行の南北幅が大きいほど寒暖の差も大きくなるのだ。

そうなると世界の気象の分布も変化してしまい、生物種の多様性に大きな打撃を与えることになる。一九八〇年の頃を境に北半球の氷が眼に見えて解け始め、生物種が急激に減り始めた。

人類の莫大なエネルギーの消費によって、巨大な地球が眼に見えるほどの変化を始めてしまったのだ。

地球の温暖化

これから述べるのは、五〇〇〇万年をかけて寒冷化に向かっていた地球を、人類が石炭と石油文明によって僅か三〇〇年で温暖化に逆転させたという、地球の歴史上の驚愕的な出来事だ。

大気中の二酸化炭素の濃度と、平均気温と海面の高さの三つは連動して変化するが、平均気温と海面の高さの二つの変化は緩やかで、変化が現れるには数一〇年の遅れがあるので、私たちの日常での実感が伴わない。その点二酸化炭素の濃度は敏感に数値が変わるので、地球の状況を知りたければ、大気中の二酸化炭素の濃度のppmの変化を見て考えれば、地球の歴史や環境問題が見えてくる。

興味を持たれた方に推薦する本。

ジェイムズ・ハンセン『地球温暖化との闘い』(日経BP、二〇一二年)

地球五千万年の寒冷化の歴史と温暖化への逆転劇

大陸大移動の話に地球のロマンを想う。二億年ほど昔、海に浮かんでいた一つの超大陸が分裂を始めた。この分裂劇のもと、インド亜大陸もアフリカを離れて今のアジア大陸に向かって北上していた。

その移動の速さが他の大陸の移動に比べて一〇倍という、異常に速かったために、移動中のインド亜大陸と海底との間に生じた強烈な摩擦熱で、海底に眠っていた大量の炭素やメタンが溶かされ、温暖化ガスになって大気中に吹きだし、世界の平均気温を大きく上昇させていた。

そして五〇〇〇万年の昔、北上していたインド亜大陸は今のアジア大陸に衝突し、地殻を隆起させながらヒマラヤ山脈を造成し、殆ど動きを止めた。

その頃までの極地方の気候は、現在の熱帯に匹敵するほど暑く地表に氷雪はなかった。

インド亜大陸の移動が殆ど止まったので、大気中の二酸化炭素の濃度が減り始め、五〇〇〇万年昔の頃を境に、地球は寒冷化に向かった。

寒冷化は徐々に進み、三五〇〇万年程の昔、それまで地表に無かった氷が南極に発達し始めた。

その頃の大気中の二酸化炭素の濃度は約四五〇ｐｐｍ、気温は今より五℃くらい高く、海面は七〇メートル余も高かった。

この四五〇ｐｐｍと五℃と海面七〇メートルの三つの値は地表に氷が存在できる限界の重要な数値として、記憶しておくといい。

三〇〇万年の昔、寒冷化は更に進んで、北半球にも氷が発達し始めたが、その時の二酸化炭素の濃度は三四〇ppm、この値も覚えておくと便利だ。気温は二~三℃下がったが、海面はまだ今より二五メートルほど高かった。

歴史は遙かに飛んで西暦に入り、一七五〇年の頃に始まった産業革命当初の二酸化炭素濃度は二八〇ppm、気温と海面の高さは、現在とほぼ同じにまで下がっていた。

三五〇〇万年前の濃度四五〇ppmと、産業革命初の二八〇ppmの差は一七〇ppm。この差が地球の寒冷化の歴史を示している。

地球の歴史では氷の発達した時代を氷河期という。氷河期には氷期と現在の様な温暖な間氷期があり間氷期は約一〇万年毎に訪れるが、温暖な間氷期の期間は一期一万年くらいだ。

地球は今その温暖な期間を終え、再び寒冷化に向かう時期を迎えたのだが、産業革命以来の石炭の消費と、二〇世紀の石油文明の消費が出した、大量の二酸化炭素により、地球は寒冷化への歴史を温暖化へと、歴史の逆戻りを始めてしまったのだ。

二酸化炭素濃度の変化にみる温暖化の歴史

産業革命による石炭と二〇世紀の石油文明によって、地球は温暖化に向かい始めたが、特に急激な温暖化は一九五〇年の頃に始まった石油文明によるものだ。

産業革命初期の一七五〇年の頃、二酸化炭素の濃度は二八〇ppmだった。二〇〇年後の一九五〇年の濃度は三〇〇ppm、この二〇〇年の間に人類は大量の石炭を使ったが濃度の増加は二〇ppmだった。

ところが、人類は石炭よりも使い勝手のいい石油を大量に使う文明に入り、〈消費は美徳〉とばかり高度経済成長を始めたために、大気中の二酸化炭素の濃度が爆発的に増え始めたのだ。

一九八〇年の頃、北半球の氷が解け始め生物種が絶滅し始めたが、この時の濃度は三四〇ppmだった。この濃度は丁度三〇〇万年の昔、北半球に氷が発達し始めた頃の三四〇ppmと一致している。

このことから判るのは、濃度の三四〇ppmが、北半球に氷が存在するかどうかの限界の値ということだ。現に北半球の氷は消滅に向かっている。

二〇〇〇年の頃には南極の氷の一部も解け始めた。

二〇二〇年の濃度は四一〇ppm。この一九五〇年からの僅か七〇年で、驚愕的に一一〇ppmも増加し、今も年に二ppmも増えている。

二〇年後の二〇四〇年の頃には、地球上に氷が無かった三五〇〇万年前の大気の濃度、四五〇ppmを超えてしまうのは確実だ。

その結果五〇〇〇万年かけて寒冷化してきた地球の歴史を、産業革命以来の僅か三〇〇年で、人類が巨大な地球を変化させ、氷の無かった昔に逆戻りさせようとしているのだ。

私たちは寒冷期の始まりから五〇〇〇万年、氷の発生以来三五〇〇万年の氷の歴史動画を唯の三〇〇年、それも主に最後の数一〇年という、信じられない速さで現在も巻き戻しているのだ。

この二〇四〇年に予想される二酸化炭素の濃度の四五〇ppmに今後は、気温と海面の二つが確実に連動し気温が徐々に上がり氷は解け続け、海面は七〇メートル高に向かってジリジリと上昇をつづけることになる。

人類は地球の動きに変化を与える程の驚愕的なエネルギーを消費してきた。そして更に大量のエネルギーを消費しながら、二〇年毎に倍増する経済成長を、今後もつづけようとしているのだ。

温暖化では、赤道が一℃上がると極地では三倍の三℃上昇し、氷や凍土を溶かしてしまう。

極地の温度が上がれば永久凍土が急激に解けて、ツンドラの凍土に閉じ込められていた炭素や、温室効果が二酸化炭素の三〇倍ともいわれるメタンが大気に吹き出し温暖化を更に加速させる。凍土に眠っていた未知のウィルスも地表に出る。

半世紀ほど前、著名な企業家が、経済成長のために〈土地が足りなければ山を削って海を埋め立てればいい、若者はそれ位の気概を持たねばならない〉、と云ったのを私は雑誌で読んだことを想い出す。

五〇〇〇万年かけた地球の寒冷化の大逆転劇の幕開けが、主に私が社会に出た一九五七年の頃以降という、わずか数一〇年で展開されたのだ。

気温と海面上昇の関係の概略

地球の歴史によれば気温が一℃上がれば海面は約五メートル、二〜三℃の上昇で二五メートル、五℃上がると地表の氷は消えて海面は七〇メートル余上昇した。海面上昇の速さは百年で四メートルという痕跡が残っている。だが経済が指数関数で成長するのを考慮に入れれば、海面上昇の速さも指数関数で加速するだろう。

寒冷化した氷期には、地球は中緯度まで凍りつき、海面は一〇〇メートル以上低下するなど、特に寒い極寒の時期もあった。

現在のベーリング海峡の水深は五〇メートルだが、数万年前の氷期には、海面の低下でシベリアとアラスカとは地つづきだった。

人類がシベリアからアラスカに渡っていったのもその頃だ。

温暖化防止会議の目標値一・五℃を考える

現在温暖化防止会議は、産業革命以前を起点にして、気温の上昇を一・五℃以内に押さえるのを努力目標にしているが、既に一℃上昇してしまった。三五〇〇万年の昔、気温が高く、海面が七〇メートルも高かった時代と、産業革命当時の気温の差は五℃だった。その五℃と会議の目標値一・五℃の値を単純に比較すると、この目標値の一・五℃を守ったとしても、海面が少なくとも一〇メートル以上、上昇するのを黙認していることになる。

今世紀末の海面上昇の予想が色々発表されているが、発表される予想値は最初小さく、年月が経つにつれて値が大きくなっていく。指数関数で成長する経済体制では全ての値が年を追って加速されるので、今世紀末の海面上昇が一メートル以内で済むとは思えない。

地球科学の進歩によって、過去四〇〇万年この方、記録された地球の歴史の数値は科学の発展によって高い精度を示すようになったので、地球の未来を

予測する場合、地球が示した歴史の値を基礎に予測する方が、遥かに正確な値として信頼できるのではないだろうか

ここで大陸の大移動の中のインド亜大陸の移動の話を思い出して欲しい。インド亜大陸の移動が異様に速かったために、インド亜大陸と海底との間の強烈な摩擦熱で海底の炭素やメタンが溶かされ大気に吹きだし、世界の平均気温を大きく上昇させていたこと。

そしてアジア大陸に衝突しヒマラヤ山脈を造成して止まったので、大気中の二酸化炭素の濃度が減り始め、五〇〇〇万年昔の頃を境に地球は寒冷化に向かったこと。人類がこの寒冷化を温暖化に逆転させたこと。

このことから私は、人類がこの数一〇〇年間に使用した莫大なエネルギーは、インド亜大陸を移動させヒマラヤ山脈を形成したエネルギーに匹敵するほど凄まじいものではなかったのか、科学者に聞いてみたい。

第四章　人口問題とパンデミック

人口問題

最初に基本的な問題を書いておきたい。グローバル経済では、富裕国との貧富の差がある限り、貧困国の人口は爆発をつづける。

二〇世紀の一〇〇年で世界人口は四倍に増えた。増加率では一・四％だ。一九五〇年は二五億人、一九八〇年は四五億人に、二〇二二年には八〇億人を超え、現在年に七～八千万人が増えている。

貧しい国の人口が富裕国よりも増える主な原因は、親が給金を支払わないでも働いてくれる多くの子どもを必要としていることにある。

その子たちは学校に行けず、医師にかかるのも困難であり予防接種を受けていれば死なずに済む病気で死ぬので、親は更に多くを産む。

それに働いても一日に一～二ドル、年五〇〇ドル位しか稼げず、貧困から親代々抜け出せないため、富裕国との間の貧富の差が構造化しているのだ。

一方、富裕国の中間層の年収を五万ドルとすると、貧困層の一〇〇倍だ。年収から消費を比較すると、富裕国の中間層一人の消費の増加は、貧困層が一〇〇人増えるのに等しい。

「世界の科学者から人類への警告」も、子細な説明ははぶくが夫々の国に合った適切な人口を提唱しており、世界の人口の抑制を求めている。

環境に適切な人口とは、地産地消の可能な社会が一つの基準になるだろう。水やみどりや土壌の豊かな、循環型の経済社会構造だ。

富裕国の庶民の出生率が低下した原因は、富裕国の中での貧富の差が広がったのと併せて、福祉が充実していないので結婚できないからだ。結婚できても子ども一人を大学まで育て上げるのも困難だ。

富裕国でありながら子どもの学費だけでなく、食費にも困るような雇用や福祉制度のまま、子どもを産むよう補助金を配っても別の用途に使われてしまうだろう。補助金は付け火であり福祉制度と云う薪（まき）にはなり得ない。

富裕国の基本的な問題は、結婚したら食べていけないような雇用形態や、福祉社会構造にある。福祉国家が難局に強いことも知っていて欲しい。

政府の人口計画は、二〇年毎に倍増する経済成長の現状維持を元に考えられているが、科学者が警告しているように、現在の経済成長を維持すると、貧富の差が広がり人口が増えるだけでなく、世界経済構造の破綻が先に来て世界人口は裕福貧困を問わず、自然淘汰されるだろう。


グローバルに考えると、現在年に七〜八千万増えている人口を抑えるには、富裕国の人口が減り始めた今が絶好の機会の筈だ。

現在富裕国は自国の人口がせっかく減り始めたのに、経済成長を維持するために自国の人口の増加に努めているが、人口計画は地球全体として考えなければ生命圏は崩壊する。生命圏の崩壊を前には、自国の政治計画に如何に不都合であろうと、不都合には人智を尽くして対応するしかない。

富裕国での人口計画を立てる場合、現在の赤んぼは約三〇年先に子どもを産むので、対策の効果は三〇年のタイムラグがある。

現在人手が足りなければ、足りすぎている国の人材を日本の足りない分野で教育し、同じ給与で採用すればいい。喜んで働いてくれるだろう。

他国と民間同士の親密感が深まるのは国防力としての戦略的な投資になる。

外国労働者の教育費と採用や給与は、外交や国防費の一部と考えればいい。

外国人の雇用は今までのような人件費を抑える目的ではなく、友好関係を深めるためにも喜ばれる形での雇用と交流が望ましい。

途上国への援助は、建造物の開発よりも基礎的な国力を付ける教育に援助の主体を置いた方が、途上国に人材が育って貧富の差が縮小し世界の人口も安定し、途上国の未来をも明るくする。

消費を煽る自由競争社会ではなく夫々が自分の能力で働き、皆で支え合い貧富の差が少なく穏やかで、誰もが心から定住したくなる日本でありたい。

パンデミック考

人類は世界中で、養殖や栽培という形で、ほかの生きものを大発生させている。当然ウィルスは、育てられて大発生した命に取り付く。

人類はウィルスから観ると、ほかの生きものと同じなので、同じく大発生している人間に取り付くのは当然と覚悟して対処するしかない。

コロナを客観的に眺めると、命としては特殊な構造のウィルスの役目は、大発生した生物を抑制し、命の多様性を守ることにある、とも考えられる。

生物としての人類を眺めると、生態系のバランスを壊し百年に四倍に増えて大発生した人類を、ウィルスが命の多様性を守るために人口を調整しようとしている、と考えた方が自然だろう。

生物の歴史では、大発生した生きものは、他の命の食べものになるために、ウィルスなどによって淘汰され、命全体としては連帯し多様性を保ち、数を調整し合って繁栄してきた。

ウィルスの問題はほかにもある。極地方の温暖化率は赤道の三倍なのだ。

例えば赤道が一℃上昇すると極地方は三℃も上昇する。

赤道よりも高い温暖化率によって極地方の凍土が溶け、生きものの死骸と一緒に閉じ込められていた未知のウィルスが地上に出てくる。それに動植物の炭素の層やメタンが地上に炙り出されて、温暖化を更に加速させる。

連帯し合い繁栄して生きてきた生きものたちの、ジグソウパズルのような多様性が、人類による温暖化で破壊されるために、色々な難問が直ぐそこの未来に次々に押し寄せている。現に人類の大量消費によって、日に二〇〇種、年に五万種もの生きものたちが姿を消しているのだ。

それにいずれ落ち着くにしても、現在のコロナの罹患数の発表で見慣れた死亡者数は、航空機が毎日墜落しているのと同じ位の数値だが、TVに写る担当者の表情が他人事のようで寂しい。

毎日大勢の家族たちが、コロナのために身内の看取りもできずに泣き崩れているのを想像し、暗澹たる気持ちだ。

第五章　空から観た地球

私が空から観てきた地球とその経緯
――消費は美徳の時代を生きた者として――

私は操縦士として長年、汚れていく地球を空から眺めつづけ、夜間飛行では星空を見上げながら宇宙の片隅の地球の命に想いを馳せてきた。

私は飛行機の操縦でも山登りでも、難しいとか危険だとか、人の不安をあおる書き方を好まないが、一九六〇年の初飛行以来、六〇年余に亘って考え、眼に見えて劣化していく生命圏の崩壊の兆しや、外地で見た諸悪の根源としか云いようのない、貧富の差への想いが私の心を占めている。

この問題は私の能力をはるかに超えているが、劣化の進む生命圏の危機を前に、思い余って官庁や国会議員を訪れたり、日英文の著書やYouTubeに書いて社会に訴えてきた。

しかし地球環境の劣化が急速に進んでいると訴えても、日々は長閑に流れ、世の中は「消費は美徳」、私の訴えへの反応は薄かった。

この生命圏の危機に際し今の人類に求められているのは、命が秘めている「連帯の本能」を取り戻して争いを止め、大量に消費する生き方を変えて、「地球の循環が与えてくれる無償の恵み」への敬虔な心ではないだろうか。

人間の知性にそぐわないような現在の人類の争いをよそに、これを書いている窓の外には野の花が楚々と咲いている。

私は今まで生きがいを求めて生きてきたけれど、近く訪れる旅立ちを前に、つづく世代の命たちの未来への、私の想いは尽きない。


私が一九五七年、航空会社に地上職として入社した当時、独身寮に洗濯機など便利なものもなく、水道栓からもお湯は出なかった。庶民の家庭には、TVや自家用車は高価過ぎてまだなかったが、敗戦後の日本の復興に希望を膨らませながら会社に通い、同僚と安酒場で未来を語り合い、明るい日々を過ごしていた。

一方世界は既に石油文明に入り、大型タンカーやジェット機での大量高速輸送による高度経済成長期が始まった頃だった。

入社後、小型訓練機に乗せてもらったことが発端となり、空を飛びたいという本能に火がついた私の強い希望、というより私の〈執念〉に会社が根負けして、〈うるさくて堪らんからやらしてやれ〉、と受け入れてくれたお陰で、私は通常のコースを経ずに操縦士の訓練生に転向した。この変わった経歴を聞かれることが多いので少し付記すると、

私の素敵な夢が叶ったのは、私のことを訓練機に乗せてくれた操縦教官や、小型訓練機の整備会社のテストパイロットや、航路の機長や航空士までが、私を応援してくれたからだ。私は何と幸せな人間なのだろう。私の心の中に今も生きる大切な人たちだ。

転向時、自分で望んだのだから何でも自分でやれ！と云われ、地上職から空への私の職種変更の稟議書も自分で書き、多くの部や課で、有難いことに励まされながら捺印を貰い歩き、私の訓練のための小型機も捜してきて会社

に調達の契約をしてもらったり、これで空を飛べると想うと心の踊る楽しい経験をした。こうして「空をとぶ私の人生」が始まった。

だが喜び勇んでの訓練飛行の時、上空から観た都市はドーム状のスモッグに覆われ、私たちはこんな汚れた空気の中に住んでいるのかと驚いた。海では水銀の被害の裁判で、漁民を苦しめつづけている「ミナマタ騒動」が始まっていた。

その頃はまだ地球環境に関する本は全くと言えるほど無かったが、捜してやっと出会ったのが、レイチェル・カーソン著の『沈黙の春』だった。ともあれ私は、自分の好きな空を飛ぶのに給料までもらい、訓練というより楽しみで教官と一緒に空を自由に飛ばせてもらって幸せ一杯だった。

この楽しい想い出ばかりの訓練も終わり副操縦士になって、世界的に有名な高級住宅街のある空港に降下していったら、その大都市は薄黒い空気の底に沈んでいた。

けれどその頃の空の汚れはまだ都市の上空だけで、飛行途中の洋上の空は澄んでいて、遙か彼方の水平線はくっきりと見えていた。

副操縦士になった当時、豊かなみどりの森に覆われていた美しい南の国が、後に私が機長になった頃には、見渡す限り草原や農地や裸地に成っていて、その国の印象をすっかり変えていたりした。

一九七〇年の頃、国連や科学者たちも汚れていく地球の未来を憂え始め、国連事務総長が警告を出し、科学者からは「成長の限界」が出版された。

幼児の出生率とユニセフとの出会い

私が初めてユニセフを訪ねたのは一九七七年だったたか、都会の一隅の未だ一〇人位の小さな事務所の頃だった。

生命圏の劣化と人口問題を前に、私が訴えている生命圏の劣化は実感がなさ過ぎて社会に浸透せず、悩んだ挙句、人口増と世界の幼児の出生率を考えていて行き着いたのが、ユニセフ支援だった。

貧しい国の幼児の出生率は、予防接種など基礎的な福祉保健とその母親の初等教育の援助によって、幼児の死亡率が下がると出生率が下がるのだ。

当時の専務理事は元首相の母堂で心優しく私に、ユニセフ普及のためなら自由に動いていいし、是非そうして欲しいとのことだった。

私の夢は、世界の子どもたちの幸せを願う〈ユニセフ航空〉に広がった。有難いことに会社はユニセフ活動に賛同し飛行機にユニセフマークをつけてくれたり大勢の客室乗員も同調した。更には世界の交響楽団によるユニセフ支援の大きな公演を東京で開催しオードリーヘップバーンを招いたりした。ヘップバーンさんはこの後、ユニセフ大使になって活躍した。

嬉しかったのは、入社時によく酒を酌み交わした係長が後に社長になって私を応援してくれたり、私の定年後も一〇年余り、会社は通算約三〇年余に亘りユニセフ活動を応援してくれた。自分の働く会社が、世界の子どもたちを応援してくれているって、何と素敵で嬉しいことだろう。

一九八〇年の頃を境に、北半球の氷が解け始め、高層気象図にも明らかな変化が見えはじめ、偏西風（ジェット気流）の蛇行が大きくなりそれに付随して航路の飛び方に影響があったり、地上では寒暖の差や、上昇下降気流が強くなったりして、航空機の操縦に影響がで始めていた。

私が夫々一泊で登った、メキシコの五四〇〇〜五八〇〇メートルの三つの高い山々には豊富な氷雪と氷河が在ったが、一〇年程のちに上空から観たら、雪が殆ど消えていた。

私の体が高い山に強いのは、青年期に体に自ら課した凄まじい運動量と、航空機内の空気圧は通常、標高二〇〇〇メートル位に設定し飛んでいるので、私の体が普段から薄い空気に慣れているからだろう。

山登りを始めて六年経った一九八六年、私はエベレストに登りに行ったが会社は私を免職にもせず、〈お前は昔の剣豪みたいな人だな〉、と云って内輪での壮行会までしてくれた。

友人のスキーウェアの社長はこの登山に反対したが、私が決心を変えないので、皆が凍えて死なないようにと全員に極上の防寒服を作ってくれた。

登りに行ったエベレストではシェルパたちが氷河の衰退を指摘していた。八千メートルには登山隊の放置して帰った登山用具のゴミが散乱して、地上最高地点のゴミ捨て場と化していた。

最終キャンプに私は独り、酸素ボンベも使わずになぜこんな高いところまで登ってきたのだろう、と考えていて悟ったのが、

〈命には連帯し生命圏を広げようとする本能がある。その本能の囁きで人は高い山に登るのだ〉、ということだった。この悟りは、
私の生き方として子細は第八章に書くが、その後ほかの命を観る私の心に、「回心」とも云える大きな変化をもたらした。
七千メートルを登山中に短波放送で、チェルノブイリ原発事故を報じていたのを傍受し、放射性物質が偏西風に乗ってエベレストまで飛んでくるのではないかと心配した。この登山の三年後にはベルリンの壁が崩壊した。
北極圏で下に見る氷原は、薄茶色の空気を通して真っ白に見えなかった。グリーンランドの氷は雪解け期のスキー場のように汚れて見えた。太平洋の大海原でくっきりと見えていた水平線は、霞んでしまった。
一九九二年六月、ブラジルのリオデジャネイロで「地球環境サミット会議」が行われ、私も個人で訪れようと計画したが、身内に差し迫った事情が発生し断念した。しかしその五カ月後の一一月には、
このリオデジャネイロの地球サミットで採択された内容に危機感を持った、「一九九二・世界の科学者から人類への警告」が発せられた。

私が空を降りたのは一九九四年、六〇歳の空の定年に際し、国連ユニセフ本部事務局長のグラントさんが癌で苦しい病床にありながら、私宛に書いたお礼の手紙が郵送ではなく、ニューヨークから来た、事務局次長の手渡しで届いた。私の生涯で貰ったどんな賞よりもこの手紙が嬉しい。世界の子どもたちからの手紙に想えたからだ。

この心優しい事務局長は、旅立ちの前の日にも子どもたちのために手紙を書いていたという。その一〇年程後に、懐かしくて妻と行ったスイスの山々からは多くの雪が消え、氷河が彼方に後退していた。

私の好きな美しい山々に囲まれた里村に引っ越したのは二〇〇三年、静かな郷に妻と住んでいると、私がこれほど心配してきた環境の劣化が嘘のように穏やかで、私の眼にも多くの人と同じく、周りは長閑(のどか)に四季は美しく巡るのだった。これでは一般のひとに生命圏の危機感が湧かないのも無理はない。けれどあらゆる指標は限界に達し、世界経済構造は崩壊寸前にある。

人生の最後に与えられた静かな郷で、二人で築き上げて行き着いた大切な日々を過ごしていたが、妻の病が進み介護に明け暮れる毎日になったので、二〇〇九年、遠路会議に出席するだけになっていたユニセフの役員を辞任した。私は七四才、世界は「子供権利条約」や、NGOの普及など、子どもに関心が深まり、幼児の死亡率は数分の一に減っていた。

私が空を降りた後約三〇年、妻に先立たれた八九歳の今も、地球が無償で恵みを与えてくれる自然の循環の中には、眼には見えない大量の汚染が年毎に確実に蓄積し、その量を指数関数で増やしながら広がっている。

その証は、生物種の絶滅が加速度で進んでいることや、画像で観る世界の氷雪が解けていく様子や、プラスチックの残留廃棄物で理解できるだろう。異常な気象も激しさを増し、最近は洪水や大火の被害が目立ちはじめた。

私の身の周りでは燕たちの渡りの数が激減し、人間の捨てる残飯清掃係のカラスや外来種の鳥が大繁殖し、小鳥たちの生態も大きく変化した。

二〇一七年、堪り兼ねた「世界の科学者たちから人類への警告・第二版」が発せられた。

眼には見えなくても、驚愕的に倍増してきた世界の総GDPや人口による生命圏の劣化が、最初の「鳥観的な図表」にも書いたように、現在の如実な数値となって現れている。

人類の大量消費によって積み上げられてできた巨大な壁が、現実に直ぐそこに迫っているのだ。私が生涯を終えようとしている将にその時期に、人類はその巨大な壁に衝突しようとしている。

私が空から観てきたのは、人類の大量消費が出した汚染が大気や水や土壌に溜まりつづけ、人類の消費が地球の限界を超えて、生命圏が劣化していく地球の姿だったのだ。

空から国境の争いを想う

航空機が航路を飛ぶ場合、夫々の国の空には国境の代わりに、航空交通管制区という位置通報をする空域が在るが、その空域と国境は一致していない。

操縦士は領土も領海も殆ど気にすることなく管制区の中を、地上の管制官の指定する通信周波数を聴取しながら飛ぶ。国境を気にせずに飛べるのは、その国とは友好関係にあるからだ。

次の国の管制区に近づくと、管制官から指示された周波数に切り替えて、なるべく相手の国の言葉でご挨拶し、〈空の敷居〉を超えて飛んで行く。


世界経済はグローバルと言うが、国境を越えての人の往来が自由でなければグローバルとは云えないと思う。富裕国の都合に合わせ、人の往来が国境で制限されているのが実情だ。

植民地主義時代、「南北問題」と言われる貧富の差が構造化された世界経済があった。

例えば植民地はゴムの原料を輸出しタイヤを輸入させられる。その付加価値分は富裕国に入る。このように国の間で貧富の差が構造化されていた。

今は植民地が独立して途上国と言われるようになったが、経済成長による大量消費とグローバル化で、原料や製品の往来の規模が拡大し、貧富の差は更に大きくなった。

このように国境とは富裕国の富を守る、言い換えると貧富の差を守るためにあるようにも見える。

それに、折角他国の庶民同士が仲良くしていても、政治が乱れて民に不満が溜ると、権力者は敵愾心や愛国心で人間性で最悪の憎しみを煽って国境を封鎖し、或いは国境を広げて権力を守ろうとするようだ。

現在直面している生命圏の危機を前に、人類は「命の連帯の心」を取り戻し、国境を超えて貧富の差を縮め、経済競争ではなく〈分かち合いの世界〉を目指すほかに生きる路はなさそうだ。

もしほかにあるとしたら、国境を封鎖して自国だけが生き残る路だろう。しかしその結果は、ほかの命との「連帯の心」を無くした国が生き残って、その国の指導者の元に、つづく世代の命たちを今よりも更に苦しめて生命圏の劣化を加速させるかも知れない。それはほかの多くの生物種の中で人類は、命の在り方としては退化に向かうことではないだろうか。

この数一〇億年、命たちは一貫して連帯し繁栄してきた。これは「命の掟」であり生きる歓びでもある。そして数百年、人類は科学技術でこの「掟」を破ってきた。その生き方が生命環境を劣化させ、人の絆やほかの命と連帯して生きる心をも失わせている。

微生物をはじめ、ほかの命たちが与えてくれる、無償の恩恵を感謝し大切にしたいし、しなければ人類は滅びに向かうだろう。

人類はほかの生きものより高等と云うが、現状をみると、人の脳のかなりの部分は国境を守るための、より精密な武器の製造や、ほかの命を搾取するために費やされているようにも思えてしまう。

この生命圏の危機を前に、世界が連帯し協力し合って団結しなければならない時に、新自由主義や独裁政治の国は、命の連帯よりも富や武力で世界の最強国になるのを望んでいるように見える。

国々が国境で争い、〈最も強い言葉で非難する〉と激しい言葉で相手を非難するが、人間の性(さが)として、強く非難すればするほど相手は頑(かたく)なになるのに、大人たちはどう解決するつもりなのか。もし不幸にして戦争になっても終われば一つの地球上で支え合って生きなければならないのだ。

この様な時には、両方が納得し易い仲裁国が居なければ、当事国が争いを自ら収めるのは難しい。その点では戦後一貫して憲法を守り、平和を目指してきた日本は最適な仲裁国ではないのだろうか。

平和を願いながらも、丸腰ではあまりに危険なのは歴史が示しているので、自衛のための身の丈に合った武器は当然のことと考える。

だが、武装を増やす理由に、仮想敵国として相手を名指しで非難するのは、世界の平和を目指す国には似つかわしくない。

武器の量で太刀打ちできない小さな国は、身の丈の武装以上に外交の力が大切と考える。GDPの内の何%と決めて防衛費を予算化するのなら、外交費用も防衛費の内予算とし、防衛費総額の、例えば二〇%を平和外交のための費用として、武装と外交とのバランスをとったらどうだろう。

心ならずも戦争が始まった場合、指導者は戦争が終わった後のことを考え、戦死する相手の将兵やその家族に、同じ大切な命として心遣いの語りかけがあって欲しい。

ナイーブと云われるだろうが、私の戦争の時に受けた教育の恐ろしさと、戦争が終わってからの経験から云えることだ。それに戦争の原因の殆どは、庶民の憎しみ合いからではない。植え付けられた敵愾心は仲の良かった庶民の仲を裂き、戦争が終わってからも人の心に生きつづける。

数一〇兆円もの戦費を費やし理不尽な人殺しに明け暮れるとしたら、人類は有史以来進化したとはいえず、ほかの命に知性を誇れる状態ではない。

戦争はどの路何かの形で終わる。そうならば人類の誇る大きな頭脳を使い、外交力と知恵で戦争を回避し、戦争と戦後の復興に費やす筈だった巨大な富を分かち合い、互いに民主的で自由にものが云える、福祉国家での世界一を目指して競い合えたら素晴らしい。

その民主的で豊かで貧富の差の少ない、自由にものが言えるようになった福祉の国に、世界の人たちは国境を越え、こぞって住みたくなるだろう。

庶民は自由でものが言えても、貧富の差が大きく凶悪な犯罪の多い国には住みづらいのだ。貧者はそれでもお金を求めて国境を超えるしかない。

独裁国が台頭するのは、自由主義の格差に不満がある貧民層が、貧富の差をなくして欲しいばかりに、独裁者の言葉に一縷の希望を託すからだ。

第六章　生命圏の危機への対策

生命圏の危機への対策
――人類の未来は富裕層の生き方の選択にかかっている――

地球規模で人類に危機が訪れたとき、命の連帯を無視して自国だけが武力で生き残るのは最も単純な方法だけど、そのような国の指導者は生き残った後も庶民だけではなく、支え合って生きるほかの命たちをも虐げるだろう。

百年前の世界恐慌や戦争の時、平等を基本に分かち合う、貧富の差の少ない福祉社会構造が、難局に強かったことが知られている。

残される地球環境と全生物にとって最も好ましい方策は、人類世界が協力し分かち合って、ほかの多くの命たちと伴に生き残るのが理想だが、現在の世界は悲観的な状況にある。

しかし、世界が混沌として国々が協力せずに崩壊していく中にあっても、それでも分かち合う福祉社会構造の国が生き残れる可能性が最も高い。人は困難な時でも、身の周りとの格差がなければ、人は争わず援け合って生き残ろうとするからだ。このことを念頭に、真近に迫っている人類の最大の危機への対処を考えてみたい。


生命圏の危機は「鳥観的な図表」に見るように、指数関数で倍増する経済成長による環境の破壊と、貧富の差とその結果の人口の増加にある。「世界の科学者から人類への警告」が指摘しているように、今の経済成長の構造は、生命圏の崩壊の壁への路（コリジョンコース）を走っている。

貧富の差を容認する社会が、如何に弊害を成しているか。平等とほど遠い新自由主義が容認する無限の欲望が、諸悪の根源の貧富の差の発生源であり、独裁国家の台頭を容易にしている。

私がこの著書で最も訴えたいこととして、あらゆる項で強調してきたのが、

〈諸悪の根源の貧富の差が縮まれば、世界の争いや、蓄財の投資による環境破壊が減って大量消費も収まり、世界人口も減少する〉、ということだ。

崩壊の壁への衝突の衝撃を如何に最小限に抑えながら、素早くこの難局を乗り越える方法はないものか。

日本はかつて、累進税率七五％の時期があり、福祉制度は不充分ながらも、貧富の差が少なく、一億みな中流意識の時代もあったのだ。

精神論など、色々な方策を考えている余裕は既に四〇年前に尽きている。利害関係を調整している間に生命圏の劣化は指数関数で加速されて進んでしまった。

世界は精神よりも貨幣で動く。今の経済社会構造をなるべくそのままに、根本的な社会改革が必要な時、人の心が直ちに反応し行動に移るのを促すための最大公約というか共通項は、税制の改革にある。

税制を変更できれば色々な画策をしなくても、貨幣の流れに企業も個人も自動的に順応し社会は素早く変化する。

【指数関数で巨大化する今の経済成長に対抗できるのは、同じ指数関数の「高率累進税」】だ。高率累進税なら自動的に投資は減り、増えた税収を福祉に移転すれば貧富の差は急減し、環境破壊も減少する。今の経済構造のままでは、如何に対策を採っても指数関数で増える経済成長に追い抜かれる。

人類の未来は裕福者の累進税の選択にかかっている。高率累進税でないと富裕層の蓄財から貧者への富の移転は難しく、貧富の差はますます拡大する。

国連の資料に、個人の経済的な満足度は年に一万四千ドルをピークに減少する、という興味深い資料があった。世界の総GDPを世界人口で割ると約一人一万二千ドルだ

高率累進税は危機を招いた二つの要素、高度経済成長の指数関数の難題も、貧富の差も同時に解決できる。これを念頭に、高率累進課税を基本に据えた税制を工夫し改革するのが、最も理想に近く現実的な方策と考える。

しかし最初から社会全体に、環境対策の税制を含めて総合的に高率累進税を適用することが可能なら最善だが、それには未踏峰の険しい高い山に登るような、未知の困難に遭遇するだろう。

第一段階として対策は先ず、貧富の差という高い山に登頂して既に登攀路を開拓している、福祉先進国で現実に運用されている税制を採用するのが、新しい政策で試行錯誤するよりも素早く、無理がなく良策と考える。

そして次に第一段階の改革だけでは不充分な環境の回復への税制改革に、二段階に分けて取り掛かるのが効果的だろう。

比べて読むと分かるのだが、貧富の差の少ない福祉国家の政策の殆どは、SDGsに合致しており、平等を基本に据える政策の底に流れる温かい心は、SDGsを具体化する上に大いに参考になる。

多くの人がSDGsに熱心なのは、平等で社会保障に守られた、福祉社会を求めているからだろう。このことから福祉先進国の税制を受け入れるのに、庶民の抵抗感は少ない筈だ。

約一〇〇年前の世界恐慌の時に、世界に既にある社会制度の中で最も難局に強かったのは、資源もなく貧しかったにも拘らず、豊かな国を創り上げた福祉国家だった。（参照、後述「不況や難局に強い福祉社会の連帯の構造」）

税金の話で馴染み深いスウェーデンの福祉政策は、SDGsターゲットに合致する多くの政策を既に現実化している。

貧しい農村だった物質的な資源に乏しいスウェーデンが、世界の幸福度で最高位の豊かな福祉国家に成れたのは、平等を基本に、乏しい資源に代わる心の資源、【皆が喜んで支払いたくなるよう工夫された心温まる税制】を考え出したからだ。


第一段階は最も簡便な方策として、例えばスウェーデンの平等で貧富の差が少なく社会保障が充実し【支払った方が得をするよう工夫された税制】を採用し、その一部の富裕層への通常の定率税制を【高率累進税】に変更するのが、最も無理が少なく最速で、現実的な方法と考える。

それだけで今世界が求められている、貧富の差の少ない構造改革の理想に近い社会構造になる。

資本主義の欠点と云える貧富の差を除いた福祉社会構造は、二〇〇年程前、「空想的社会主義」といわれた学説の、ユートピアに近い世界かも知れない。

第二段階として、劣化した環境の回復にも、高率の累進税制で対応する。具体的な方策としては、【生命圏の危機は自然の循環の破壊が原因】だから、自然の循環を汚し、破壊したり消費をあおる仕事には、高率累進税を課す。

逆に自然の循環を豊かに増やす仕事には、無税にするだけではなく報奨金を支払えば、生命環境は循環豊かな水とみどりと命豊かな方に向かい、風景が一変し、つづく世代により劣化の少ない生命圏が残ることになる。

これは今後求められる「循環型社会」の在り方として「地産地消」の文化が描き出す、水とみどりの風景だ。

私は幾度でも強調したい。貧富の差が少なくなれば世界の争いも、大企業や裕福者の投資による環境破壊も減って経済成長も収まり、大量消費も世界の人口の増加率も減少する。

【人類の未来は世界の富裕層の生き方の選択にかかっている】。巨大な蓄財のある大企業や裕福者は率先して模範を示し、高率累進税制を受け入れて、その功績を人類の歴史に残して欲しい。

富裕者が、自分が働いて得た巨大な収入によって支払った多額の税金が、人の幸せのために使われ喜ばれているのを見たら、ほかの人の喜びの中に、自分の本能を喜ばせる幸せがあることに気付くと思う。

その歓びは、自分の能力を使って蓄えた、巨大なお金や名声に寄ってくる外から受ける喜びよりも、命が連帯して生きる「命の掟」、心の内部からの、普遍的な本能の大きな悦びに変るだろう。

連帯して生きる悦びを知れば、自らの過ぎ越し方を振り返り、ほかの命に支えられていることにも気づき、樹々のみどりや小さな命を観る眼も変わり、自然がなぜ美しく見えるのかを悟るだろう。

旅立ちを前にした私の祈り

夫々与えられた能力で精一杯働いてその成果を分かち合い、皆が幸せを願い合えるような、微笑みに満ちた生きものに進化できたら、人類は何と素敵な生きものだろう。

ＳＤＧｓの促進上知っておきたいこと

二〇一五年発表のＳＤＧｓには、考えられる限りの人類や命たちの未来への希望と理想が、一六九のターゲットと二三二もの指標で示されている。読んでいて溜息が出る。ＳＤＧｓを実践して、二〇三〇までに新しい世界に脱皮しようというのだ。もしターゲットの多くが実現できたら、何と素晴らしいことか。

多くの人がなぜＳＤＧｓに熱心になったのか、私はその理由が分かった気がする。それは多くの人が基本的な生き方として、平等で社会保障に守られた、福祉社会を求めているということだ。

ＳＤＧｓを読みながら私がすぐ気が付いたのは、北欧の福祉先進国の政策の殆どがＳＤＧｓのターゲットになっていることだった。

ＳＤＧｓのターゲットの多くを、既に実現化しているのが福祉先進国だ。特に福祉国の政策の底に流れている温かい心は、ＳＤＧｓを具体化する上に何をしたら良いのか、大いに参考になる。

ＳＤＧｓは、一〜四項で貧富の差をなくし福祉の充実を目標にしており、例え環境が悪化しても、人の基本的大切な生き方として努力をつづけたい。貧富の差の少ない福祉社会は、世界のあらゆる難局に強いからだ。次の項に「不況や難局に強い福祉社会の連帯の構造」として、福祉先進国の政策を書いたので、参考に読み比べて考えて欲しい。

近代化以前の日本は図らずも鎖国中だったために、文化は地産地消であり、地球の限界内での謙虚な生き方でありＳＤＧｓだったのだ。

地球環境の劣化如何に関わらず、平等で援け合う生き方として、ＳＤＧｓを生活に採り入れたら、日々を平和に生きる悦びが湧くと思う。

それだけに、私がこれから述べることが、ＳＤＧｓに熱心な人たちに水を差すことにならないよう願っていることを最初に書いておきたい。

ＳＤＧｓには基本的な問題が二つある。但しこの二つの問題は庶民にはなく政治にあることを理解して読んで欲しい。

一つは、二〇一五年の国連会議で発表されたＳＤＧｓに対し二〇一七年、

「世界の科学者から人類への警告・第二版」ウェブサイト、が発表された。概要はこの著書の、「無視された世界の科学者の二回の警告」に書いておいたので参照するといい。

この警告が指摘しているように、名指しはしていないがSDGsの八項、指数関数で増える経済成長の維持は不可能であり、無理に経済成長をつづけたら、地球の汚染浄化能力に対して圧倒的な廃棄物の増加により、生命圏の劣化が急速に進み、期限が二〇三〇年SDGsターゲット一二・五、廃棄物の減少どころか、世界経済構造そのものが崩壊してしまう。

問題点＝SDGs目標八項のターゲット八・四（経済成長）

【二〇三〇年までに世界の消費と生産における資源効率を漸進的に改善させ先進国主導の下、持続可能な消費と生産に関する一〇年計画枠組みに従い経済成長と環境悪化の分断を図る】、と経済成長の持続が簡単そうに書いてあるが分断の説明がなく面妖だ。政治は文言の妥協がないと進まないが、〈経済成長と環境悪化の分断を図る〉のは、分断できても廃棄物は消せないし、分別は可能だが捨て場がなく、どのみち経済成長の持続は不可能だ。

既に消費が地球の限界を超えているのに、今の三％余の経済成長を続ければ二〇年毎に消費と廃棄物が倍々に増えるが、地球は一つしかないのだ。その消費が出す大量の残留廃棄物を分断し〈先進国主導の下〉に廃棄物をどう処分するのか。まさか倫理的に今まで以上、途上国に廃物を輸出するとは思いたくないが、途上国を含め地球上の大気や水や土壌のあらゆる循環は既に汚れていて、捨て場はどこにも残されていない。

多くのターゲットが二〇三〇年までの達成を目標にしているが、今のままの経済成長をつづけたら消費が倍になる二〇四〇年を待たずして、一〇年かそこらの内に世界経済構造の崩壊を招く可能性が高すぎる。その頃は今生まれた子どもたちが未だ小学校に通っている世界だ。

問題点の二つ目は、ＳＤＧｓの内、庶民だけでは実行不可能な、世界政治の行動を必要とする基本的なターゲットが多い点だ。

それにも拘わらず、政治がＳＤＧｓをＮＧＯやＮＰＯのような民間庶民の草の根運動に委託したようなのが現状だ。

ＳＤＧｓは政治が始めたことだ。期限が過ぎた二〇二〇年や二〇二五年のターゲットはどうするのか、政府は検証と、その結果を発表して欲しい。二〇三〇年を最終に、ターゲットの多くを置いているが、期限は直ぐそこに迫っている。

政府は率先してメディアを介して庶民がＳＤＧｓに専念できる環境造りをして欲しいし、メディアも視聴率に拘らずに報道して欲しい。

政府は専門家会議を開いているが、メディアが採り上げなければ庶民の眼には、二酸化炭素削減会議のほか、政治に目立った動きは感じとれない。

政治がＳＤＧｓを重要と考えるなら、ＳＤＧｓを一字一句しっかり読んで、選挙公約でも国会の政策討論でも、ＳＤＧｓを語って欲しい。

未来を憂うるのであえて書く。ＳＤＧｓの生き方をすれば環境問題が解決すると懸命に努力している庶民に実践を任せ、政治でなければ達成できない多くのターゲットに手を付けずに期限を切らしながら、片方では目標八項の経済成長を推進するのを止めないなら、ＳＤＧｓを経済成長のカクレミノ(Green wash)にしていると思われてもそれ程見当外れではないと思う。

だが書き添えておきたいのは、政治がSDGsを庶民に任せているように、庶民もつづく世代が住む生命環境の劣化と云う命の未来に最も重要な問題を、つづく世代の幸せより、次の選挙に勝つことを政治の重点に置きがちな政治任せにしていることだ。選挙の在り方を考え直す必要がある。

政府が、SDGsを重要な環境問題として政治の中心に置くよう、庶民は普段から政治の行く末をしっかりと見守っていたい。

SDGsのターゲットを一字一句しっかりと読んだら、そのターゲットが経済成長の下で達成できるのか、或いは貧富の差が縮小されるかどうか、色々な関連が見えてくると思う。

次に書く項目は、庶民でなく政治が解決する問題だ。どの項目も経済成長が引き起こす難点になっている。

SDGsにおける経済成長関連の難点

グリーンエネルギー＝クリーンエネルギーがあれば、環境の危機が解決するのではない。

危機はクリーンエネルギー不足ではなく、大量消費が出す残留汚染にある。クリーンエネルギーが無限にあっても、クリーンエネルギーを使えば資源から多くの廃物が出るし、生産品もいずれ廃物になって循環の中に残留する。一九八〇年の頃、消費が地球の浄化能力の限度を超えた結果、残留廃棄物が地球の循環の流れに溜まりつづけており、既に廃物の捨て場は無い。

地球の浄化能力の限度で、クリーンエネルギーの使用量も制限されるのだ。制限を超えて増え続ける汚染により、生物種は現在絶滅に向かっている。

生物種の絶滅＝経済成長が廃棄する大量の残留汚染や森林伐採や温暖化で、年に五万種もの生物が絶滅しており、単純計算では二～三世紀で生命は全滅する。人類も一蓮托生、例外ではない。

水問題＝世界は経済成長用の工業用水が足りず、農業用水を工業に廻すので農民は職を失い貧民化し、大河の水が河口まで届かないほど、世界経済は水不足の状態なので食料の増産は望めない。この状態で世界人口は年に七～八千万人も増加を続けているが、ＳＤＧｓはなぜか、最も重要な課題の筈の世界人口問題に、直接には触れてはいない。

気候変動＝対策は化石燃料産業への補助金の打ち切りと合法的汚職化している現在の政治献金とロビー活動の禁止への法律の改革が先決だ。この補助金の在り方についてはＳＤＧｓの一六・五で間接的に触れている。

途上国援助＝実態は、途上国への援助により富裕国の経済成長の不足を補う傾向にあり、途上国の環境破壊と貧富の差の拡大を招いている。

貧富の差の縮小＝これは、指数関数で倍増する経済成長と並んで、人類の未来に最も重大な問題だ。（ＳＤＧｓ特に一〜四項）

貧富の差の問題は、世界の総ＧＤＰを人口で割ると一人約一万二千ドルという値を基本に考える必要がある。

二〇年毎に、倍々に増えつづけた経済成長で増えた富と、仕事の効率化で増えた筈の余暇はどこに行ったのか。数一〇年に亘る経済成長の中、庶民の幸福度や余暇は増えたのだろうか。

経済が成長した分は世界の富裕層の帳簿に入り、その巨大な蓄財の分配が実現しなければ、貧富の差は拡大をつづけ、途上国だけでなく富裕国の庶民の生活も向上せず、富裕層の巨大な貯蓄は更に増殖を求めて森林などの開発に投資され、環境を破壊する。

世界の諸悪の根源が、経済成長がもたらす貧富の差にあることを理解して欲しい。あらゆる難題は貧富の差にその根を置いている。

経済成長が可能なら、ＳＤＧｓの八・四で特に弁解言及する必要はなく、「持続可能な成長目標」ＳＧＧｓ Sustainable Growth Goalsにした筈だ。

国際環境会議の成果を示すための声明文は、各国が夜を徹して歩み寄った、政治的妥協の結果、物理的に実現不可能な文言が多い。

ＴＶやメディアも、経済成長を当然のこととして報じているが、アナウンサーもそう信じて言っているのだろうか。

難しく考えなくても、一つの入れ物に一個、二個、四個、八個、一六個、三二個と、指数関数で倍々に物を入れ続けられる筈がない。

一つの地球上で指数関数での経済成長の持続は不可能と、世界の科学者の大多数の専門家たちが二回に亘って警告しているのだ。

不況や難局に強い福祉社会の連帯の構造
――福祉国家の税政策はＳＤＧｓに合致する――

約一〇〇年前の恐慌や世界大戦のときに、現在世界に既にある社会制度の中で最も難局に強かったのは、平等を政策の基本に据えた、貧富の差が少ない福祉国家だった。

今から書く福祉国家が、国防を教育と経済力におき、身の丈の武装と外交に力をいれて生きてきたことを知って欲しい。

今、武装を強化して大国に対抗しようとしている日本の生き方の参考になることを期待する。

国の名前をだして恐縮だが、北朝鮮の生き方と福祉国家との、元は貧しい国の同じお金を使った生き方の対比も参考になると思う。

幸不幸には簡単な原則がある。人は周りとの格差がなければ、少なくとも物質的には平和でいられるし、優しくもなれる。

昔から人は格差がなければ穏やかに過ごし、難局にも支え合って生き延びてきた。皆で分かち合えば困難に耐えやすいからだ。

同様に経済恐慌やパンデミックなど人類の危機に強い社会構造は、連帯し支え合って生きる、貧富の差の少ない福祉社会だ。

眼に見えて姿を現し始めた環境の危機に備え、平等と命の絆を基本にした、危機に強い福祉社会への早急な改革が望まれる。

生命環境が劣化していく時に恐慌がきたら、今の地球に消費を増やす余裕はないので、百年前の恐慌の時と違い、消費を増やす対策は不可能だ。

少しでも惨禍を減らすために、可能な限りの対策を採っておかなければならない事態だ。

このような事態に大いに参考になる福祉先進国、「平等」を基本理念に据えるスウェーデンの社会構造と税制を書いておきたい。

注目して頂きたい点は、これらの政策の殆どが、ＳＤＧｓのターゲットに合致している点だ。

時が経っているので現在の政策には既に変更があるだろうが、私が伝えたいのは福祉政策の基本にある、人を大切にする〈政治の温かい心〉だ。

そこには、百年位前までは貧しい国だったスウェーデンが、平等を基本に連帯し、短期間で現在の穏やかで経済力の豊かな福祉社会を創り上げた歴史がある。

物質的資源に乏しいスウェーデンが豊かになれたのは「優良な企業を強化」して雇用数を増やし、可能な限り多くの人に〈気持ち良く働いてもらう〉ことで、個人と企業からの税収を増やし、その税収を平等に社会に還元したからであり【皆が喜んで支払いたくなるよう工夫された税制】によるものだ。

この恵まれた福祉政策を可能にしているのは、税金が高いから！　と思われているようなので、最初に興味深い逸話を書いておく。

スウェーデンの選挙で減税を公約に挙げた政党が敗北した、と資料にあり、〈税は払いたくない〉のが普通と思っていた私も驚いた。

〈減税されたら福祉が削られ、無料だった教育費などの大口の生活費を夫々個人が支払うことになって高くつくので税金は払った方が得〉、というのが減税を公約にした政党が敗北した理由のようだ。

充実した福祉制度を守るため、投票率が八〇％以上と高いのもこれで理解できる。

福祉主義、或いは「民主平等資本主義」とも云えるこの貧富の差の少ない福祉国家から学べることは、福祉政策を手厚く工夫すれば経済活動も活発になって生活が豊かになることだ。

これらの政策の殆どはＳＤＧｓの目標に合致しておりその政策は、何度も書くが、皆が喜んで支払いたくなるよう、税制の工夫によって達成された、ということだ。

幸福な国の世界の順位で、福祉国家が常に最上位を占めているのは、このような温かい政策があるからだ。

先ず税が高いかどうか、多くの人が特に関心を持つスウェーデンの庶民への税制の概要だけを先に書いてみる。

納税額は地方税の約三〇％、庶民に国税はない。夫婦は税制上独立して夫々が税を支払う。社会保障費は企業の負担だ。

消費税は二五％だが必需品には軽減税率があるので、贅沢品の税は高いが日常生活では想像する程の負担はない。

裕福者は別に二〇〜二五％の国税を払うので計五〇〜五五％の税となり、貧富の差が縮小する。

これを高いと思うだろうか、日本でも戦後七五％の累進税の時期があり、一億総中流社会と云い貧富の差が少なく、福祉制度は充分ではなかったが、多くが満足していた時代もあったのだ。

項を立てて夫々述べるが、〈教育・健康・住居など、生きる上の基本となる、誰にも必要な大口の支出費の殆どが社会保障で賄われる〉ので、個人が夫々の大口費用を負担するよりも、三〇％の地方税を払う方が教育費など高額の生活費の総支出が少なく、得なのは明らかだ。

パートも含め全員が正規雇用なので、皆が社会保障に守られ困窮な場合や老後になっても、基礎的な生活は連帯社会に守られて路頭に迷うこともなく、

安心していられる。（日本の非正規雇用者には実質的に社会保障がない）
これが一般庶民への税制の大筋だ。

企業は、法人税（国税）を支払うが、庶民とは逆に地方税はない。優良な強い企業は国防力と同じという考えから、優良な企業を国内に留めるために企業税率は低い。企業が強ければ国防力も強く、雇用も納税者も増えて税の総収入が増えるとの考えだ。
だから国は企業税率は低くしても経済破綻した弱い企業の救済はしない。名車ボルボ社さえも救済しなかった。
そのかわり国は弱い企業の救済に代えて、失業者の能力を高める教育訓練に、国防費にも匹敵する多額の費用を投入し、失職者の労働生産力を高め、優良企業への人材の供給源にしている。この結果、労働者は失業する度に、より生産能力が高い人材に変るのだ。

では、こんなに福祉政策と国力を重視した政策の結果はどうなのか。安心して働けるからかストも殆どなく、個人の生産性、国際競争力、人間開発、ＩＴ先進国、汚職の少なさなど、いずれも先進国の上位に居るし、地球環境にも関心が高くいち早く環境税を採用し、二酸化炭素削減目標も早々と達成したとある。

国際協力では世界の貧富の差にも関心が高く、対外援助もＯＤＡは国連の目標を大きく超え、日本の大阪府よりやや多い一千万人の国に、万人単位の難民を受け入れている。

この国の心温かい政策に心を惹かれたら、どうぞお調べ頂きたい。年月が経っているので政策も可成り変更があるだろうが、命への考え方は変わっていないだろう。

眼に見え始めた生命圏の難局を前に私が最も伝えたいのは、福祉社会構造が危機に強い、という点だ。そのことを再度強調しておき、

次に項目を追って政策の概略を列記する。ＳＤＧｓのターゲットと比べながら理解し、概略なので調べて政治政策に採り入れて欲しい。

先ずは女性議員の数

議会での女性議員は男女殆ど同数。命を育む本能が強い女性が居なければ世界はどうなるか、最も大切な育児や命の保護や継続という、命の基本的な在り方を考えれば、女性議員が多いほど世界は平和で穏やかになるだろう。命に優しい福祉国家に女性議員が多いのは当然のことと思われる。

夫婦別の税制

税制上夫婦は夫々税を個別に払う。この制度を推測するに、夫婦が金銭的に独立した制度なら憎しみ合って離婚する例は少なく、夫婦の愛の在り方や離婚後の子どもの問題を含めて、現代社会に適しているのかも知れない。

育児政策

子どもは生まれ方の如何に拘わらず平等であり、相続から何から、すべて同一権利を有している。

更に発育期の諸問題に手厚い投資を基本にしている。幼いころの育ち方で脳や性格がつくられるからだ。後からの投資では高くつくという考えだ。

産後約一年半の育児休暇があり、親子の充分な触れ合いを可能にしている。

男女就労の機会を平等にするために、男性には、決められた日数以上の育児休暇の取得を義務課している。その後の託児所への費用は僅かだ。

就労と休暇

週労は三五時間余、残業する意識は殆どないらしい。家族の絆も深くなる。年休は五週間、当然のように消化されている。

年休とは別に、育児や病気での長期休業や、在職中に一年を限度に、自己研鑽のための休暇など給与の七〜八〇％補償付きの休暇が多く、いつ働いているのかと思う程だ。それでいて個人の生産性でも富裕国の上位にいる。

前記のようにパートも皆正規雇用。社会保障費は企業の負担。働いている人全員が社会保障に守られて、住まいは生存の基本的配慮として住居手当で保証されており、困窮時にも路頭に迷わないで済む。

同一仕事同一賃金

同一賃金はＳＤＧｓ二〇三〇年までのターゲット（八・五）になっている。同一仕事同一賃金なので妬みも少なく心も安定し、地方に住む方がゆったり過ごせて通勤も楽だ。都市も密集しないですむ。

調べてみると同一賃金には利点の多いことに気づかされる。ストライキが殆どないのもこの制度のせいかも知れない。職種間の移動も容易だ。同一賃金の別目的は国の競争力にあり、優良企業の体質の強化に有利だが、人件費の削減が目的ではない。

ＳＤＧｓのターゲットなのだから、日本も早く採り入れないと、ＳＤＧｓへの政府の取り組みに疑問を持たれかねない。日本は大企業の賃上げが優先であり貧富の差は広がる一方だ。

失業対策（国力強化対策）

この項の最初に書いたように、不況期を失業者の生産性を高める好機として、教育訓練に国防費に迫る多額の費用を投入し失職者の労働生産力を高め、優良企業への人材供給源にしている。云わば失業する度により生産性の高い労働者に生まれ変わるのだ。人や企業の生産能力の向上は、国防力と同様に大切という考えだ。私たちの失業救済という感覚とは全く異なる政策だ。

それに本人の技術力も上がり、同一賃金であり解雇のルールが明確なので、企業が解雇するのも、労働者が生き方や環境を変えたければ、自らの意志で移動するのも容易なので、労働者の企業間の行き来に労使ともに対処しやすく転職はかなり自由だ。同一賃金なら転職の度に貧しくなることもない。特徴として、失業手当の受給には教育訓練の受講が条件になっているので、失業しても遊んではいられない。

医療

患者の支払いに上限があるので支払いは僅かだ。しかし医療補填費の暴騰を防ぐため、緊急時を除き治療を受ける前に治療の必要性について、相談員の判断を通す制度になっている。かかりつけ医師ではないようだ。

もしそうなら相談員はこの医療制度の要であり、相談員の信頼性と熟練度とが庶民の健康と医療費の必要予算を左右する、重要な立場にある。

命に優しい福祉国がこの制度で医療に支障がないのなら、医療費が危機的な日本は調査して制度の見直しを考えたらどうだろう。

教育費は大学院まで無料

貧しい家庭の子どもの秘めた能力を開発しないのは、平等ではなく国力の損失であり、国力を強くするために小学校から大学院まで授業料は無料だ。

大学に入試はない。青春時の心の発育の大切な時期を入試対策地獄で費やさずに、自分の心を見つめることに専念できる。面接と高校の点数で入学が決まる。面接を重視するのは人間性に重きを置くからだろう。

人間性に欠けた知性は凶器になりかねない。面接は学科試験よりも難しいかも知れない。そのためか大学に教養課程はない。

一八歳は大人だし家族が一緒に生活する時間が多く教養は家庭生活の場で養われるのが原則なのだろう。学費は国家が持つのだから入学したら勉強しなければ卒業は難しい。

大学の講座は社会で直ぐに役に立つよう、各職業別を主体に実学の講座制度になっている。教養は家庭で、大学は優秀な職業人の養成の場なのだ。

医師の国家試験を除き、弁護士の資格を含めて、大学での学位がそのまま国家資格になる。就学中は、国の低利ローンや生活補助がある。

一般大学の他に職業大学がある。世界の新しい技術や経済に素早く対応するために〈企業の求めに応じて〉、世界の先進知識の講座を一定期間、臨時に開いて国家資格を与える。ここでも企業力の強化を国力の一環としている。

人生再挑戦可能な成人専用の高校

素敵な制度に「成人専用の高校」がある。高校を中退し社会に出た後でも、取り残した単位のみをこの成人用の高校で取れれば、一年生からやり直さずに高校卒業の資格を得られる。

その後も、授業料は大学院まで無料、在学中は生活費の補助もあるので、今までの生き方を変えたければ、人生どこからでもやり直しができるのは素晴らしい。ひとには心に秘められた、いつ開花するかも知れない才能がある。夫々のたった一度の人生を大切に、誰も見捨てない、心温まる制度だ。個人も社会もよみがえる。不登校の子どもを抱える親の心情を想う。

逆に、開花の時期が遅れたばかりに学問の路に進みたくなっても、或いは就職のための資格をとる必要があっても路は閉ざされ、未来を無くして夜の都会に荒れる先進国の若者たちが可哀相でならない。

職業人のための教育休暇法

在職中、生き方や在り方を見直すために、給与の約七〇%の補填付きで、一年以内での休暇が取れる。

年金

年金には、難民など滞在期間が短い場合を考慮し、生存への基本的な配慮として最低保証額がある。年金財源は給与から一定率での源泉徴収による。

弱者対策と生活保護

障害者や弱者への対策が手厚く貧富の差が少ないので、生活保護の受給者は殆んど居ない。障害者も積極的に社会で生きられるように援助して、とにもかくにも働かせて税金を支払わせ福祉で弱者の命と生活を守る。

老人と介護

老人は介護をふくめて、生活は住居手当と殆ど無料の医療と本人の年金で賄われるので、少なくとも物質的には独り住まいも可能であり、老後の貯蓄も不要だ。余生をどう生きるかは制度ではなく自分の心の在り方にある。

但しこれらは、医師や訪問看護師など、介護医療従事者の待遇が充実しているから可能なことを特に記しておきたい。

（注）日本では今後、配偶者に先立たれた独り暮らしの老人が増えるので、医療介護従事者の不足が緊急の課題だ。

自宅介護を促進するのが国や自治体の方針なら、現在ボランティア的な立場で働いている医師や訪問看護師や介護士への報酬や教育費の補助など、訪問という特殊な部分への待遇の改善が是非必要だ。

今の税制では、所得が百万円を少し超えると扶養控除などが無くなるなど、看護や介護の資格があっても働く意欲を削いでいる。これも訪問医療従事者不足の原因になっており有資格者への税制上の特例と、待遇の改善が必要だ。

福祉社会は医療従事者とは別に、老人の独り暮らしへの多様な仕事に対応できる熟練したホームヘルパーを必要としている。

老人介護の特徴として、ヘルパーの仕事は突発的に発生する事態に対応できる能力を必要とするので、仕事を提供する上での資格を制度化することが望ましい。そうでなくても、最低賃金にヘルパー手当を上乗せすれば、家庭にいる人材が集まるだろう。

資格もなく最低賃金に近い給与の施設での、一人夜勤での夜の事故が多いのに心が痛む。

地方自治

異なった地方の文化や環境に合うよう、政策も税率も自治体が決めるので、地方が多様性に富んでいる。県が医療を、市町村が教育保育介護などの政策を立案し実施する。将に地方自治の国だ。

（注）日本の地方税率は国会が決めるので本質は国税だ。〈地方交付税〉の分配は公平と云われるが、補助金など、中央に顔が向きがちな日本の地方自治の実態と独立性が問われている。

日本も福祉国家の心のこもった税制を参考に、取り敢えず自治体が条例で改善可能な部分だけでも積極的に改善すれば、住みやすくなった福祉の郷に移住してくる人が増えるし、総税収も増える。

大切な森林管理の人手を増やしたければ、法律的に可能かは分からないが、例えば非正規雇用の人の社会保険料を、自治体が引き受けて雇えば税収も入る。

知恵を絞れば郷も森も生き返るのではないだろうか。

おわりに

スウェーデンの福祉の、人や命への優しさが自国のみに留まらず全世界への普遍的な考え方であることは、難民の受け入れや地球環境への率先した取り組みに見てとれる。

世界戦争の苦しみの中、一九二九年の恐慌以来スウェーデンは、平等の心を基本に福祉社会を守りつづけてきたが、当時の学者が唱えた国の理念は、国家福祉だけではなく「世界福祉」を理想として目指していた。

姿を現し始めた生命圏の危機を前に、人類は貧富の差の少ない福祉国家の生き方を参考に、世界が今、切実に必要としている、ほかの国や人たちや、ほかの命たちとの「連帯の本能」を取り戻して欲しい。

――私の夢の一つ――

私の住む地方が率先し、つづく世代のために福祉の郷になるのが私の夢だ。そして世界構造が危機に陥った時、皆で支え、分かち合って生きて欲しい。

「環境問題専用TVチャネル」の設置

――科学者の奮起をねがう――

〈環境問題専用TVチャネル〉のことは、「無視された科学者の警告」の項にも書いたように、生命圏の危機への対策の一つの大きな柱として、是非とも設置の実現を期待したい。

生命は過去一億年毎に五回、絶滅の危機を切り抜けてきたが、生命は今また日に二〇〇種、年に五万種もの生物種が絶滅しており、二〜三〇〇年という短期間で全滅しようとしている。

これは過去の絶滅の時に比べ数一〇〇倍の驚異的な速さであり、この速さは指数関数で加速されるだろう。六回目の絶滅期に入ったのは確実だ。

それに人類は、遅くても二〇四〇年の頃までに、巨大な難局の壁に衝突しようとしている。

この生命圏の危機を憂えた科学者が警告を発し、それをメディアが一般に報道しても庶民に反応がなく、視聴率が低ければ報道は打ち切られ、それが人類にどんなに重要な事であってても一過性の報道に終わってしまう。

人は日常の生活に差し迫った問題でないと関心がつづかない。だが生命圏の危機は大気や水の汚染など、危機は眼には見え難い上に、一過性ではなく、日常とは異なる次元の指数関数という、放置していれば規模が巨大に増殖する危機であり、時折りの報道では不充分だ。

生命圏の危機は物理科学の命題だから、科学者が庶民を積極的に啓発しなければ、庶民は政治任せの日々を過ごすことになる。

視聴率は一般庶民の意識が主体の指標なので、メディアが積極的に伝えなければ、時折りの報道では庶民は危機の重大性を悟らないだろう。

世界経済成長の前には巨大な壁が立ちはだかっており、長い地球の歴史では一瞬に等しい数百年で、全生物が絶滅の危機に瀕しているのだ。生命圏は将に小惑星の衝突に匹敵する緊急事態にある。

この緊急事態を庶民に報じるため、メディアの中でも、特に画像で報じるTV局は視聴率に囚われず、スポーツや娯楽番組を毎日流しているように、「生命圏の危機問題専用チャネル」を是非創設して、このままでは子どもや孫たちが生きる生命圏が、スポーツも楽しめない悲惨な世界になることを、庶民が理解できるよう、科学者の警告を流しつづけて欲しい。

庶民に必要なのは科学者の易しい解説であり、悲観し沈黙している科学者に必要なのは、この特別チャネルを観た多くの庶民の励ましだと思う。

環境専用チャネルが実現すれば今はSNSの時代、科学者の悲壮な訴えは忽ち世界を駆け巡るだろう。

科学者は一九九二年と二〇一七年の二回の警告で諦めず、少しでも劣化の少ない生命圏がつづく世代に残るよう、特に知名度の高いノーベル賞受賞者は、アインシュタインが核兵器の廃絶へ立ち上がったように、ノーベル賞を超えて率先し若者たちの先頭になって、幾度でも立ち上がって欲しい。

「環境問題専用チャネル」は、諦めかけている科学者たちに、政府の開く環境会議でのように文言の妥協や忖度を強いられることもなく、直接庶民に「科学者から人類への警告」を訴える機会を提供するだろう。

地産地消と輸入問題
――地産地消は地球の循環に基づく循環型社会の生き方――

迫りくる生命圏の危機に際し、循環型の「地産地消」の社会構造への改革の必要性を強調したい。

ほかの命たちは、地球の循環が命に与えてくれる無償の恵みの資源の範囲で連帯し繁栄するという、〈命の掟に〉従った地産地消の生き方をしている。この掟を基本に、循環型社会の地産地消を考えると分かり易い。

持続可能とは、水のように循環している資源を持続して利用することだが、その水でも、浄化に必要な周期がめぐり終えない前に使えば、水は汚れてしまい、持続して消費するのは不可能になる。漁獲量がその典型だ。

地産地消とは、地域に循環する資源が再生し終える周期に合わせて生産した物を、可能な限り使い切った後、生産地に近い場所に、循環に戻りやすい形で廃棄する、循環型リサイクルの生活様式だ。

身近で最も持続可能な資源とは、日本の場合、豊富な水と一年で再生されて巡ってくる、美しい四季の恵みだろう。

日本も近代化以前は、鎖国という中での、循環型の地産地消の文化国家だったのだ。

循環という意味からは、千年万年の周期でも、循環して元に戻ればどんな資源でも、例え核燃料でも数一〇万年経てば再生されて使用できるだろうが、人間の寿命の間尺に合わないだけのことだ。

二〇一七年の「世界の科学者から人類への警告・第二版」は、人口増への危機感を示し、その国の持続可能な消費の範囲での適正人口を奨励しているが、ここで云う適正人口とは、基本的に〈地産地消〉が可能な人口を指していると考えていい。

生命環境の劣化が進んでいる今、持続可能な生き方を必要とされる人類に、循環型の地産地消の社会構造は理想的な生き方だ。

逆に外国に頼る遠距離輸入、特に遠い国からの輸入は、生産と消費の輪を途中の輸送で切り離すだけではなく、燃料の廃棄物を出すので最も非循環型の社会構造だ。輸入に頼る国の社会構造は、その土地に輸入物の汚染を蓄積し、輸出国の循環量を減少させる。

輸入品が安いのは、生産から店先に製品が並ぶまでのどこかで、何らかの搾取が行われているからだ。

どうしても必要な物資は輸入するが、恐慌や生命圏の危機など難局の場合を考慮し、他国からの観光客を含めて、他国への依存度を二割程度に留めるよう、基本的な社会構造にしておけば、国の難局にも腹八分で耐えられる。

日本は命の大元の、無償の恵みの水とみどりが豊富な国だから、循環する農産物が豊かに実るので、地産地消の生き方には条件がそろっている。

この地産地消の生活様式に従って政策を立てて実行すれば、改めて新しい政策を考えなくても、そのままSDGsの生き方になる。

輸入品はなぜ安いのか

先ず、近くの物よりはるか遠いところから運ばれてくる物の方が安いというのは変だ。その過程のどこかに無理や搾取がある。

輸入品が安い基本的な理由は三つ、輸出国に安い労働力が多いこと、資源が安く、輸送力が安いからだ。

他の項にも書いたが、労働力が余っているのは、貧しい国の家族が収入を得るために、給金を支払わないでも働いてお金を稼いでくれる子どもを多く産むからだ。

その子どもやその親たちが懸命に働いても日に一～二ドル位しか稼げない。これが安い労働力の多い理由だ。

その子たちは学校にも行けず、薬を買うのも医師にかかるのも困難であり、下痢や簡単な病気で死ぬことが多い。そのために親は更に多くを産む。

それに教育を受ける機会がなければ、親子代々貧困から抜け出せないので世界経済構造上、途上国と先進国の間の貧富の差が構造化している。

資源が安いのは、裕福な国の土地は開発し尽されて高く、工業用水も不足しているために、富裕国が途上国の土地や森林を安く借りるか買い取って、農地や工業や畜産用に開発するからだ。富を生まなくなれば返還する。

加えて鉱物資源を掘り、精製するのに地元に大切な水を工業用水として消費し、地元の大切な川が汚れていく様子に想いを寄せてみるのもいい。

輸送力が安いのは輸送用の石油の費用に、廃棄物の二酸化炭素を回収する費用が含まれていないからだ。それは循環を破壊した費用でありその未払いのツケが今、温暖化となって地球に重く圧し掛かっている。

この三つの理由に想いを寄せながら買い物をすれば、色々な問題が見えて、言葉が解らなくても、本来の国際人としての心が世界に広がっていく。

悲しいことだが、飢えの蔓延する貧しい国からでさえ、裕福な国へ食料が輸出されている現実を知って欲しい。お金のある所に物は流れていく。

このような理由で、貧富の差を利用して作られた安いものを輸入するのは、公平でも自由競争でもなく、人間と環境の搾取であり、貧富の差を固定化させて世界の紛争を増やすだけでなく生命圏をも破壊する。

ＳＤＧｓを学習するとき、ターゲットにも貧富の差をなくすとあるように、今の世界の諸悪の根源は、貧富の差にあることを学んで欲しい。

子どもたちが貧困から抜け出せるように予防接種など基礎的な保健医療と、その子どもを育てる母親への初等教育、できれば義務教育への支援への行動を起こせばいい。これもターゲットにある。

支援によって世界の紛争と環境の破壊を少しでも減らすことに役に立つし、今も年に七〜八千万人も増えている人口の増加率も減ってくれる。

貧しい子どもたちとその母親を支援する組織や団体は、国連のユニセフや難民高等弁務官事務所など、NGOやNPOを含めると数多くある。

それは今、世界で進めているSDGsの目標の、主に一から四の項目の、ターゲットにある貧富の差や環境問題や教育など、目標の多くを実行することになる。

輸入に関連して、日本の大店舗法の問題を書いておきたい。歩いて行ける市町村の店舗を廃して車でなければ行けない場所に、輸入や遠地の物資に溢れる大型店舗を次々に造成するのは地産地消の循環社会とは逆に、SDGsにも程遠く、狭い国土には全く向かない、利益も当地に落ちない経済構造だ。

日本の食料輸入の問題点

水の豊富な日本が食料を輸入するのは、倫理的に大きな問題がある。現在世界は水不足の状態にある。

食料は、水とみどりが変化したものだから、水とみどりの豊かな日本が、人件費が高いからと云って食料を生産せずに、人件費が安くて水の乏しい国から食料を輸入するのは、輸出国の水と農地と低賃金の農民を搾取することになってしまう。

それに「輸入品はなぜ安いのか」にも書いたが、飢餓の蔓延する国からでさえ流通企業が間に入ると、日本のように高く買ってくれる国に食料が輸出されてしまうのだ。食料はお金のある所に流れていくからだ。

穀物一トンを生産するには一般に、水一〇〇〇トンが必要とされている。食べものは水が変化したものと思えばいい。人間も体の三分の二は水なのだ。綺麗な水とみどりが豊かに在れば人は生きていける。

生命圏の劣化が進めば、国が生き残るために、お金を積んでも食料は輸出されなくなるし、紛争で世界経済構造が不安定になれば、輸出は直ちに止まってしまう。その兆候は既に表れ始めている。

世界は既に深刻な水不足

――大河の水が河口まで届かない事態――

世界がこぞって経済成長を追求することで、世界の大河の水は工業製品の大量生産のために使われてしまい、水が河口まで流れてこないほど、世界は深刻な水不足の状態になってしまった。

当然ながら他の命たちへの水が不足し生物種が激減している。水は全生物のものなのに、人類が地球の循環量以上の水を使い汚しているからだ。

更に外貨取得のために水不足の国までが、農作に水を使うよりも工業製産に水を使う方が、同じ水の量を使った場合の付加価値が高いので、農業用水を工業に回すようになってしまった。

そのため農民たちは水を失い、田畑と職を失い難民となって都会に流れ、社会不安の原因にもなっている。

このような状況から、世界の食料の総生産高にも影響がでている。そして世界の人口は今も年に七～八千万人も増えているのだ。

日本は資源に乏しい国とよく言われるが、それは売れば儲かる資源が少ないことを言っているのであって、日本は命の大元の、水とみどりに恵まれた最終的に生き残るための、資源豊かな国なのだ。将にその理由で飲み水不足に喘(あえ)いでいる途上国の実態が想像できずに無関心になりがちだ。

日本は途上国にコメを贈ったりしているが、飲み水を贈って上げることもとても喜ばれるだろう。多くの途上国は飲み水が足りないのだ。

生命圏の危機を前に、本当に水がなくて困っている国を、水資源の豊富な日本が援けるのは、命は連帯して生きてきたのを想えば当然のことだ。

プラスチック廃棄問題
――水ビジネスの付加価値利益の功罪――

生命環境の劣化の中で目につくようになったのが、海や山に捨てられている膨大なプラスチックの包装廃棄物だ。中でも目立つのがペットボトル類だ。その元を辿っていくと、水ビジネスの企業に辿りつく。

営利企業の他国への売水には大きな難題がある。日本は水の豊富な国なので、命の大元の水が売られることには無頓着なようだが、現に行われている利益目的の水ビジネス企業に水を安く売るのは、生命圏の危機を前にして、大変危険なことを理解して欲しい。国の安全を守る命の大元の水が減るだけではない。

企業は水に味をつけ、ペットボトルに入れ付加価値の利益を得て売る結果、海や山に膨大なプラスチックの廃物がばら撒かれてしまう。地球の循環の中でプラスチックの浄化は期待できない。水や土壌の中に溜まる一方だ。

プラスチックでない製品も開発され始めているが、ペットボトルの廃棄はプラスチック問題の一部でしかない。

プラスチックの製造を止めず、原形のままでのリユースが不能なら、仮に如何に高いリサイクルの効率を上げ得たとしても、経済成長を止めない限り、指数関数という妖怪にたちまち追いつかれ、呑み込まれてしまう。

第二部　今は死にがいを求めて

第七章　私の宇宙観

孤独な地球

夜間飛行の操縦席は殆んど真っ暗だ。自動操縦に切り替えて洋上を飛んでいると、見えるのは満天の星だけ、時折り流れ星が貫くほかは、星空は全く動かず、音速に近い速さで飛んでいる感覚もない。

夜空に見える最も近い隣りの星までてさえ、光の速さで行って四年もかかるのだ。果てしなく広がる静寂した宇宙の中で地球や太陽は何と孤独な存在なのだろう。

光の速さで端まで僅か五時間の太陽系が、広大な宇宙の闇の中にポツンと浮かんでいる、孤独で寂しげな光景が目に浮かぶ。

地球を少し離れた成層圏の暗闇の中を飛びながら、私はこの宇宙に独り残されてしまったような、底知れない孤独感に引き込まれる。

語りかけてくるのは果てしなく遠くの星たちだけの宇宙だが、人類の歴史とは比べようもない、百数一〇億年の歴史がぎっしりと詰まった、創造された宇宙の限りない世界が広がっている。

全く異なる宇宙の時の流れを前に、私の生涯での悩みも悲しみも悦びも、生きてきた意味すらも儚い夢となって宇宙に霧散する想いがする。それでも命の故郷（ふるさと）は、ほかの命と伴に生きる悦びを与えて呉れる地球なのだろう。

夜空と家の灯り

現実の日々に心を戻すと、私たちが夜空を見なくなり宇宙や地球のことを考えなくなったのは、電灯の灯る現代の家の造りが、夜空や宇宙から人の心を隔離してしまったからだ、と私は思っている。

現在の人類が誕生して二〇万年余、言葉も焚火もなかった頃の人類は、今私が住んでいるこの場所に座って、夜空を眺め何を想っていたのだろう。

現在の様な温暖な間氷期は、約一〇万年毎に一度訪れてくれるが、温暖な期間は一万年位だ。

残りの永い期間は氷期で、特に寒い酷寒時には極から遥かな中緯度にまで氷床や氷河が堆積し、海面が百メートル余も低くなることすらある。

人が火を使い始めたのは一〇万年この方のようだが、焚火もなかった永い氷期を何を頼りに生き延びたのか。私が想うに、命に備わる〈連帯の本能〉を絆とし、身を寄せ合って寒さに耐えたのだろう。

七万年余の昔、スマトラ島のトバ火山の、現代の噴火の数千倍もの規模の、想像を絶する超巨大噴火の灰により空が覆われて陽が照らず、気温が下がり約五千年もの特に寒い時代がつづき、人類は数千人にまで減少し、殆ど絶滅に瀕したこともあったと云う。

この人類の変遷を想いながら私は、僅か一世紀で人口が四倍に増え、経済成長による大量消費が招いた生命環境の破壊と、人類の連帯からは程遠い、領土争いの行く末が脳裏を離れない。

宇宙開発競争に想う

宇宙という言葉は、近くても光の速さで地球からたった一秒一寸の地球の重力圏の月の外側か、或いは少し広げて、端まで光の速さで五時間ほどの、太陽系の外側からが宇宙、と考えた方が感覚的にしっくりくる。

と云うのは太陽系の外までくると、そこには太陽系の空間とは全く違った次の星まで光の速さで四年もかかる、広大な宇宙が広がっているからだ。

人類は宇宙開発競争或いは戦争とも云える争いによって、地球を取り巻く空間を経済的な欲望の対象にし、人類は地上だけではなく、宇宙というより地球の上空にも残留物をまき散らし始めてしまった。

更に宇宙の研究という名目で、月や火星の領有権まで主張しそうな風潮が漂いはじめている。

生命圏の危機を前に、自国や自分だけが生き残ろうと争っているように見える人類が、このままの命の在り方で宇宙に広がっていいのだろうか。

今のままの人類という生命体が宇宙に拡散したら、他に生命が存在していても、その命たちを虐げるような悲惨なことにならないだろうか。

私はもうすぐこの世を去る身だが、願わくは人は地球でほかの命たちとの「連帯の絆」を取り戻した後に、宇宙の生きものたちの幸せを願うような種に進化した後で、宇宙を目差して欲しい。

命も星も素粒子の渦の姿——宇宙の子ども——

小川の流れが岩を迂回する所にウズ巻きが生じるが、ウズは同じ場所に在って流れて行かない。

人の体の半分以上は水であり細胞も数年で全部入れ替わるのに、私という自我は、ウズのように流れずそこに残っているのを想うと、ウズと命に如何ほどの違いがあるのだろう。

小川の流れのウズと同じく、人の命も宇宙を循環する素粒子の流れに生じた小さなウズの姿なのだろう。

私も地球も星も銀河も、大きさは違ってはいても、宇宙の素粒子の流れに生まれては、儚く消えていくウズ巻きの姿だったのだ。

宇宙のあらゆる存在を、小川のせせらぎにできるウズの形としてみると、命や存在には始まりも終わりもない、生も死もない宇宙の理に辿りつく。

それらの移り変わりを、つづく世代に希望を託して去って逝く道程として観たとき、草も花も虫も小鳥も生きものたちも、樹も森も土も石も岩も山も、はては月も星たちも、なんだか解らない宇宙までもが、私と同じ素粒子から成る命の仲間に思えて愛おしい。

宇宙の中では、大小のウズが調和しながら時が経てば夫々消散し、また別の存在に姿を替えながら宇宙を巡る。

私たちも星たちも、在るもの凡ては宇宙が生んだ子ども、兄弟姉妹であり、この広大な宇宙を伴に遷ろう悠久の旅人なのだろう。

私は今までも素粒子のウズとして、おそらく色々な存在に変容しながら、消えては生じてきたのだろう。

今また近々、私は死んで火葬にされて分子に返り、別のウズの姿に変わりながら宇宙を旅する私の姿を想い浮かべ、心静かに眼を閉じていると、この壮大な宇宙と私が一体化した、宇宙の一員のような嬉しい気持ちになって、心は地球を離れ、素粒子のふるさとの宇宙に広がっていく。

循環する大宇宙・私の宗教観

人の体は、素粒子の小さなウズ巻が集まって原子になり原子が集まり分子となって細胞になり、細胞は血の循環を介して連なり人の体を成している。人の体も素粒子のウズが循環している一つの小さな宇宙だ。

その人の体は生物連鎖という循環の中でしか生きられないが、生物連鎖も水やみどりや大気や土壌が循環している地球という、大きな循環の中でないと存在できない。人の消費も地球の循環量を超えるのは不可能なのだ。

その地球もまた太陽という星の循環に属し、星は寄り合って銀河となり、渦巻いて宇宙の大循環を成している。

循環は夫々一つ上の循環の中にしか存在できないのだ。私たちは体の血液の小さな循環を介して宇宙に繋がっているのだった。

その宇宙も膨張が止まれば宇宙の循環が止まり、化学反応も核反応も時間も止まるだろう。それは宇宙の死だ。

宇宙というウズも死ねば、別の次元の更に大きな大循環の中に生まれ変わるのかも知れない。

そして人間の生活を含め、凡ての物事が移りいく原動力は、「ビッグバン」から始まった宇宙が、今も膨張しながら拡散していく力で動いているらしい。

宇宙には膨張し拡散する力の法則があり、重力や電磁力や核力などの数種の強弱の力が調和し、広大な宇宙を創りだしている。

この宇宙の力の法則の総称を、「神」という言葉に置きかえてみるのが今の私には最も素直な感覚だ。この法則の元では、神にえこ贔屓は在り得ない。

現在この数種の力の法則を統一する理論が追求されているが、理論が完成すれば人間は遂に神を知ることになるのだろうか。核まで弄(いじ)り始めた人類の生き方の行く末はどう変わるのか、空恐ろしいことにならないといいが。

大昔から、宗教家や賢人たちが物やお金や心への執着を戒めてきたのは、瞑想と直感から宇宙の大循環の理を悟ったからではないだろうか。この宇宙の掟(おきて)を神として、夫々の宗教を編み出したのではなかったのか。

神が、或いは宇宙の理が人間に示し続けてきた掟は、傲慢や私欲や吝嗇や見栄に執着する心を棄てて、ほかの人や命たちと連帯し、ウズの一員として宇宙の掟に従い、地球の循環が与えてくれる、無償の恵みに感謝して生きること、と私には思える。

世界の殆どの人は、夫々の宗教団体に属していて、無宗教の人たちの方がはるかに少ないようだ。

もし宗教団体に属している多くの人たちが本当に神を信じているのなら、人を創り給う眞(まこと)の神は、人が記録した争い事の多い経典と違い、人の争いを望むとも思えず、知性を誇る人類は連帯し支え合い平和で幸せな生きものに〈進化〉した筈だ、と私には思えてならない。

今からでも人類は、神の示す掟に立ち返るという、大きな希望が残されているのを願い、宇宙の理という神に私の身と心を委ね、つづく世代の命たちに少しでも劣化の少ない命の環境が残るよう願いながら、私に残された日々を過ごしたい。

釈迦が座って輪廻を説く姿や、砂漠の民が神の「掟」から遠のいた、旧約聖書の場面を私は想い出す。

命のふるさと地球

宇宙を循環する素粒子の、無窮の時の流れの中で私は唯一回、偶然に人間として生まれた。

この大宇宙の片隅の儚くも美しい地球で、生涯を伴に過ごした私の多くの懐かしい人や命たちとの想い出によって、地球はほかの惑星とは違い特別な存在になっている。

その地球で、私と同じくたった一度の命に生れた妻と出会い、地球の時の流れを一緒に経験し合ったことで、妻の矩子(のりこ)は歳月と共に、かけがえのない存在になっていった。

微笑みながら六〇年を私と伴に居てくれた妻は小さな壺の中、今も私の横に眠っている。

時間を費やし合い年月が経つほど、その人や土地での想い出が浄化され、懐かしくも別れ難い大切な存在になっていく。

それに、この地球には多くの命が人と一緒に居てくれる。その多くの命に囲まれて私は幸せだった。

心が疲れ生きる力を失いかけた時、今まで私は心の拠り所を、命の大元の水とみどりと、多くの命に囲まれた癒しの中に求めてきた。

その私を癒し励ましてくれた命なのに、私に食べられるため、或いは私が気付かず私に踏まれて死んで逝った命たち、どうしようもない実存の悲しみ。ほかの命に死んでもらってまで生きつづけている、今の私にそんな価値があるのだろうか。

私は既に八九歳、程なく死ぬ身だが、旅立つときに私は何を想うだろう。薄れていく意識が巡るのは、妻と子との想い出や人の心の温かさだろうか。或いは美しい山々、樹々のみどりやキラキラ光る小川のせせらぎ、私を支え慰めてくれた生きものたち。それはみな、地球の循環が私に与えてくれた無償の恵み、生きる悦びだった。命に善いものは美しい。

けれど、このような静かな死に方を望むのは贅沢なのだろう。人は無実の罪で死刑になったり、戦争や多くの理不尽な死を迎えるひとも多いのだ。

死ねば私の亡骸は生物連鎖という命の掟に反し、ほかの命には与えられず、人間のしきたりに従い火葬に付されて灰になり、分子に戻って別の姿に変容しながら、暫らくは地球と共に在る。

だが数一〇億年後には、地球は巨大化した太陽に呑まれ、素粒子のガスになって蒸発し、私も地球も一緒に大宇宙を循環する悠久の旅に出る。

想えば命のふるさとは地球だが、地球のふるさとは宇宙であり、更に遡ればば宇宙のふるさとはビッグバンの始まりの、「無もない点」にたどり着く。

しかし地球を除いては、ほかのふるさとには一緒に過ごした実感がない。

やはり命のふるさとは、果ての見えない宇宙よりも身近に在って私を支え、
ほかの命と伴に生きる悦びを与えつづけてくれた地球だった。
妻と一緒に祈ったように、つづく世代に残したいふるさとは、水とみどり
と命豊かな美しい地球と温かいひとの心。
人の心が優しく変化するよう希望を託し、妻につづいて私は旅立ちの日を
待っている。

（注：素粒子より小さな物質はあるが、分かり易いので素粒子を使った）

第八章　命の掟（おきて）・私の基本的な生き方

生きものの幸せは

――命の連帯と、地球の循環が与えてくれる

無償の恵みの中にある――

命の連帯の掟

数一〇億年の昔、たった一つから分かれた命たちは生きる場所を求めて、散って行った先の環境に順応するために、夫々の種に変化しながら海の底から高い山の地球の隅々まで、連帯しながら生命圏を広げていった。

〈命には連帯して生命圏を広げようとする本能がある、その本能の囁きで人も高い山にも登るのだ〉。

私はこのことを、酸素ボンベを持たずに登ったエベレスト八千メートルの氷雪の中、テントに独り別の惑星に取り残されたような孤独感に耐えていたとき、ほかの命を強烈に求めている私の本能の囁きによって悟らされた。

科学的ではないが難しく考えなくても、身を犠牲にして他の命を助ける話に私たちが本能的に感動したり涙するのは、命には連帯し寄り添って生きる本能がある証だと考えられる。DNAを調べれば多分、その痕跡が見つかるだろう。

氷の中から降りてきて、樹々のみどりに会えたときの懐かしさといったらなかった。命に会えて一緒に居るのが、こんなに嬉しいことも初めて知った。

この悟りは下界に降りて、行き会う人やほかの命に対する私の眼と心に、「回心」ともいえる、生き方の変化をもたらした。

命は連帯する本能で支え合い繁栄してきたと想う心で周りを観ていたら、草も樹も、蝶々も鳥も、見えない地中の虫や細菌でさえも、私と同じたった一つの儚い命として、その営みが愛おしくなった。

嬉しいことに、この掟を知ってからは、私は批判する眼で人を見る前に、微笑みながら人やほかの命の幸せを心で願えるようになり始めた。混沌としていた日々も、明るみに替っていった。

それまでは人を含め、ただ目の前に居ただけだった一つひとつの命たちが、一変して大切な存在になり、何の変哲もなかった周りの自然の営みが、伴に生きる悦びに変っていった。

「命の連帯」、これは命に課された「自然の掟」であり、生きものは細菌から大きな動物まですべて、当然のことだが人間を含めて、連帯し依存し合って生きているのだ。それだけに命は儚く壊れやすい。

連帯を離れて大繁殖した生きものは、細菌やウィルスによって淘汰されて、命全体としてはバランスと多様性を守ってきた。

これを人類とコロナの争いに当てはめて考えると、パンデミックを起こしているのはコロナなのか、一〇〇年で四倍にも増えてしまった人類なのかの問いに辿り着く。

人類は現在の生命圏の危機を前に、経済成長を追求するあまり、忘れてしまった命の掟、連帯する本能を想い出し、〈人の絆〉を取り戻して欲しい。

周りの人や命たちの幸せを願う心と微笑みさえあればいい。私が小鳥たちや熊さんと遊んでもらった経験からも云えることだが、人の微笑みと敵意のない心は、命たちに共通の普遍的な挨拶だ。

イエスも釈迦も、経典の教えの基本にあるのは命の掟〈命の連帯〉と考えれば理解しやすい。昔の偉大とされる宗教家はみな、無学の人にも分かる、普遍的で単純な教えかたをしている。

自然の掟――地球の循環が命に与える無償の恵み――

都会を離れて森や林に憩い、樹々のみどりの中で清水に行き会う本能的な歓びは、水とみどりが命の大元であり、命を養ってくれているからだ。

命の大元の、循環する水やみどりや大地や大気は、人類に汚されても循環の中で自ら浄化再生し、絶えることなく無償の恵みで命を養ってきた。

けれど、汚れの浄化には一定の周期を必要とするので、資源は周期がくるのを待たなければ持続的に消費するのは不可能だ。〈生きるために持続して資源を得るには、資源の周期が来るのを待たねばならない〉。これが「自然の掟」だ。

その例として焼き畑農業がある。土地が広ければ、欲張らず必要なだけ焼いて栽培し、場所を変えながら農作をつづけていけば時が経って、最初に焼いた畑が回復して緑になっているから、循環型の焼き畑農業が可能なのだ。もっと明確なのは漁獲量だ。周期を待たなければ絶滅する。

現在の人類の指数関数で増加する大量消費文明には大変不都合だが、消費を持続させるためには「自然の掟」、自然の循環が一巡するのを待たなければならない。

人間が欲望に任せてこの「自然の掟」に背いてきたために、処理が不能な大量の残留汚染の大きな壁が、すぐ目の前に立ち現われてしまったのだ。「命の連帯」と「地球の循環が与えてくれる無償の恵み」を悟ってからは、この二つの掟は私の生き方の基本を成している。

秀でた才能はだれのものか
――命に偶然に生れた意味を考える――

私は選んで私に生まれたのではなかったし、選んで人間に生れたのでもない。宇宙の中でただ偶然に人間に生れたのだ。

人間でも、貧しく生まれるのも裕福に生まれるのも、優れた知能に生れるのもそうでないのも、或いは同じ命でも、獣や鳥や虫や微生物に生れるのも、夫々偶然に与えられた命だ。

偶然に与えられた命なら、人もほかの生きものも、夫々の命に優劣はなく、地球上で与えられた使命に違いがあるだけだ。

夫々の命が与えられた場所と能力の範囲で命全体の繁栄を願い、生物連鎖の中でほかの命と連帯し支え合って生きるのが、〈命の掟〉なのだろう。

命は数一〇億年の昔、一つの命から連帯し支え合って繁栄してきたのだ。〈連帯は命の掟〉命は連帯しなければ繁栄できない。

あらゆる命が、微生物を含めて、夫々生まれた場所で与えられた役目を果たしていることに想いを寄せたい。

生まれた場所で、夫々に与えられた能力が高くても低くても精一杯、命の幸せを願い合い、喜び合う社会だったら何と素敵な世界だろう。

人の仕事もジグソウパズル、単純な仕事でも需要がある限り、皆が支え合って生きて行く上に、無ければ皆が困る重要な仕事だ。

特に優れた能力は、より多くのほかの命を幸せにし、伴に生き共に繁栄するために与えられた才能だと想いたい。

もし偶然に与えられた優れた能力を誇示して他を見下したり、得た多額のお金を何に使おうと勝手だとしたら、命の連帯とは裏腹に、世界に貧富の差が広がって怨念を生み、人の絆は崩壊し争いが起き、生命環境は破壊されて、ほかの命全体を不幸にするだろう。

命の連帯を大切にすることを基礎に置かない知性は凶器になる。ほかの命を幸せにするために進化した筈の大脳が、兵器の精密化と高額化に使われて人類の争いを激化させ、世界の貧富の差の拡大と、生命圏を崩壊させているとしたら、それは秀でた才能による、命全体の悲劇だと思う。

自分を、人間だけではなく、ほかの存在に置き換えて考えるのが、ほかの存在の幸せを願う上に如何に大切なことか、ほかの存在の幸せを願うことが自分の普遍的な幸せを産むことを、私は小学生の頃に知っていたら善かった。

このことを、今の子どもたちに教えてあげたい。それは近頃言われている〈食育〉や〈性教育〉の基本をなすものと考える。

食育について・たべものは命

——食べものは命が死んでくれた姿——

近頃、教育の場で〈食育〉が云われるようになった。しかしその内容は、如何に栄養のバランスが採れた食事をとるのか、人の健康が中心になっているようだ。

幼少時の教育の基本は先ず、食べられる命への思い遣りの心を育てることだと想う。

「食べものは命」、食育とは先ず、食べものは命が死んでくれた姿であることを学ばせることと考えたい。

昔と違って、食べものの多くは刻まれてパックに入っていたり揚げものだったりで、生きものの姿をしていないのも、食べものが命だということを見え難くしている。

子どもたちが、〈食べものは人のために命が死んでくれた姿〉だと知れば、ほかの命の大切さを悟り、死んでくれた命に感謝し、人を含めてあらゆる命への謙虚な気持ちが育つだろう。

あらゆる場面で、〈有り難う〉を云うようになり不必要な殺生もしなくなり、死んでくれた命への感謝の言葉も自然に増えると思う。

そうなれば相手の人を大切に想うようになり、子どもたちのイジメも隣人への意地悪な心も消えて、伴に連帯して生きる悦びが湧くだろう。

命を大切に思えるようになれば、今まで無機質にしか見えなかった周りの物までが命と同じ素粒子の集まりであり、大切な存在に観えるようになって、物への観かたや生き方までが変わるかも知れない。

子どもたちだけでなく、子どもを諭す大人たちの生き方にも、大きな影響を与えると想われる。

生きものは、人を含めて生物連鎖の輪の中で、ほかの命と連帯しなければ生きられない。これは〈命の掟〉であり、命とその掟の大切さを学んだら、自然の中で行き会う命たちを見る眼差しも温かく変わる。

自分の国だけでなく、ほかの国の人たちへの、温かい心の指導者が育てば世界の争いも減り、つづく世代の幸せを担ってくれると期待したい。

ＴＶには、栄養のバランスや料理や〈美味しいおいしい〉と美食を楽しむ場面が多い。大喰い競争まである。

畜産や魚の養殖は、殺されるために生れさせられた命だ。牛や豚や鶏など、パックされて原形を無くし店頭に並べられたその命たちの運命と、食べられる命を私たちに替わって慈しみながらも、実存の悲しみの元に育ててくれた人たちや、賭殺を引き受けている人たちの気持ちにも想いを寄せたい。

私がまだ幼少の頃、庭で放し飼いにしていた鶏の首を私に絞めさせることで、両親は〈食べものは殺された命〉、と云うことを学ばせてくれた。

ニワトリさんがひと思いに死んでくれずに悲鳴を上げて、私を見つめる眼に動転した悲しい想い出がある。

子どもたちが食膳を前に、並んでいる食べものの元の姿に想いを馳せながら、〈戴きます〉の言葉に、有難う、ご免なさいの心を添えて、食べられる命を想う心と、併せて世界には食べたくても食べられない多くの人たちのいることにも想いを寄せる人に育って欲しい。

命が連帯する絆が薄れ、世界の貧富の差がますます激しくなり、富裕国に生れながら、その日の食べものに困る人が増えてしまった。

一方人間が食べものを増やそうとして、養殖や畜産で〈パンデミック〉を起こさせているニワトリや豚や牛さんたちがインフルエンザに取り付かれて、驚愕的な数が〈処分〉される報道が増えた。同じ生きものとして私たちは、その中の一匹一羽に生れる確率もあったのだ。

食育のほかに性教育もいわれているが、私の青春の頃は、性を交える場面を唯々本能で想像するしかない時代だったのだ。命の継承という、最も重要な異性との睦（むつみ）合い方を語る際に、〈食べものは命〉という食育と同じく、堅実で聡明な教育が普及していれば善かったと思う。

私は妻と六〇年という長い歳月を費やし合い、性を交える雌雄の大きな悦びに辿り付いた。

その境地を主に九章の項の〈雌雄としての矩子と私の心の旅路〉に書いた。長くて読みづらいかも知れないが、参考になればとても嬉しい。

刹那的な快感ではなく、性を交えた後も愛おしく、老齢になってもいつも抱き合っていたくなる、雌雄の悦びの境地を知って欲しい。

ＴＶの性教育での、偶々の場面だったかも知れないけれど、器具を使って妊娠を避ける、技術的な方法を教えていたのが気になっていたので、これを書き添えた。

私の読書考

私の生涯で夫婦の愛と並び、友情ほど生きて行く上に嬉しかった宝はないと想っているが、それには相当な歳月と時間を費やし、辛苦に陥った時などの心のやりとりがないと、友情は簡単には育ってくれない。

しかしもし、人の心をお金で買えるとしたら、その人の書いた著書だろう。嬉しいのは心を込めて書いた人の優しい心に出会えることだ。

読書は、著者に気を配ることなく著者の心に近づくのを可能にしてくれる。著者は、著書の中で読者に対し既に心を開いているからだ。

何度も読み返せばいい。読み返すほど一行一字一句に秘められた優しい心に気が付くだろう。

知り合いの書いた本は、その人の顔を思い浮かべながら読めるので特にそうだ。知り合いの域を超えて、生涯の心の友になれるかも知れない。

不思議なことに、日常会話では打ち明けないことでも、文章にすると人は素直に書ける傾向がある。多分、ひとの心を求めて寂しいからだろう。

言葉を選んで何度も推敲し直して書かれた文章であるほど、話し言葉よりも著者の心をより深く理解できるのが嬉しい。

私も推敲を繰り返して書いた私の著書の、一字一句に込めた私の心を読んで欲しいので、私に贈られてきた著書は、余程相性が悪くない限り一字一句、行間に秘められた心を読み落とさないよう、繰り返し読んでいる。

内容の全体像が概略頭に入るには、理解力や記憶力にもよるけれど、私の脳の力では一～二度読んだだけでは、本の中に散らばっている固有名詞の関連性だけでも頭の中で総合できない。そんなこんなで、頂いた本は時間が厳しくても、最低三回は読んで感想を著者に述べることにしている。

時が経ち、人の心に飢えたときに本棚から選んで読み直してみると、理解したつもりだった著者の心の読み落としを多く発見し、心が更に近くなって嬉しくなる。それは多分、私の生き方や受け取り方の心に変化があったからだろう。

頂いた本は、私が読み直す度に赤線を引いたり多くの書き込みをするので、一〇回も読むころには、大切なページは真っ赤になっている。

読書に時間を費やし、相手の心を受け入れ自分の心を添削すれば、互いの心の理解が蓄積されて、その本は大切な存在になっていく。夫婦も、理解し合おうと努力を重ね添削し合った互いの心は、書き込みだらけになっていると想像する。

理解と愛は一体のものであり、夫婦があらゆる想いと葛藤を超えた先に行き着いた、涅槃の境地なのだろう。

速読でも的確な書評を書ける人も稀にはいるが、忙しいからと贈られてきた著書を、一回しか読まない人も多い。けれどそれは、紹介された席で短い時間、話をしただけと変わりない気がする。

自分の書いた著書を人に贈っても、人から頂いた著書は読まない人も中には居るけど、それでは理解し合うことも心を添削し合うこともなく、心の友或いは一生の大切な人になれたかも知れない機会を失うだろう。

私のではなく、ひと様の著書や記事を友に贈るのは、書かれた内容に責任を伴うので、私は滅多にしないが、贈りたいときは内容について概略を述べ、読んでもらいたいページなどを書き添えて贈るようにしている。

私が原稿を書くようになって苦労し、美しい文章とは文法がきちんとしているることだと気が付いた。

妻の矩子が以前、英語の出来の悪い私に、文法を厳しく教えようとしていた意味が、今頃になって、やっと分かった。

二人の自然感――妻の矩子が知った自然の歓び――

自然をただ美しい、としか見ていなかった矩子（のりこ）の眼は、なぜ自然が美しいのかを理解し始めたとき、驚きと歓びと感謝に変わっていった。

山を歩き、樹々のみどりに包まれて、清水に行き会う幸せは、水とみどりが命の大元であり、命を養ってくれているからだった。

春の花や芽吹きや小鳥の雛や、幼児や子猫が可愛く愛おしいのは、死ぬ身に代わり命が引き継がれる姿への、希望と連帯の本能の悦びだった。

身を犠牲にして他の命を助ける話に感動するのは、命に宿っている連帯の本能の証と考えられる。

〈命の連帯と自然の循環の無償の恵み〉という、二つの命の掟を悟れば、変哲もなく見えていた周りの自然の営みが共に生きる悦びに変るだろう。

現われては消えていく生きものたちを観ていると、愛おしくて胸がつまる想いがする。その命たちは昔のそのまた昔、たった一つの命から分かれた、兄弟姉妹の姿だったのだ。

野の花に、雑草と云われる草花に、樹々のみどりに、そよぐ風の匂いに、四季の巡りに、舞い降りる雪の沈黙のリズムに、自然が奏でる調べに身を委ねれば心は弾む。

流れいく雲、小川のせせらぎ、雨垂れの調べ、小鳥や虫の声、それは自然が奏でるリズムだった。循環は命の恵み命そのもの。命に善いものは美しく見える。

多くの生きものたちと伴に生き、豊かな循環の中に浸っているとき、私は生ものとしての幸せを想う。私は山に登るようになって、この自然の恵みと多くの命に囲まれる歓びを知った。

自然とは循環の別名だと考えるようになった。そして身の周りの命さえも自然の循環が命に変容した姿であり、日々を謳歌して、死ねば又、次の存在に再生されていく姿だった。

あと何回の若葉だろう。あと何回の落葉だろう。私たち夫婦は日々の暮らしを自然の無償の恵みと多くの命に包まれて、春は躍動する命を前に幼い頃の懐かしい自分に心を戻し、秋には散りゆく紅葉に二人して、恕（ゆる）し合った後の静寂を想い、落ち葉が新芽に希望を託して土に返る姿に、わが身の死後を重ねてみたりするのだった。

引っ越してきた当座は、私が白い雪の山を愛おしそうに見つめるだけでも浮かない顔をしていた矩子だった。

夫が特に好んで屡々登りに行く雪の山は、妻には危険な存在でしかなく、いつしか仇（かたき）になっていたらしい。それが今では周りの山々に雪が積もると、顔を輝かせて私と一緒に悦ぶようになった。

白い雪が美しく見えるのは、微生物によって熱に変えられた多くの汚れを白い雪が吸いとって蒸発し、地球の外に捨ててくれるからだ。

人間の出した汚れは土壌に住む微生物により熱と元の無機物に分解される。土壌はあらゆる廃棄物の、一大リサイクル工場なのだ。

美しい山やみどりや生きものたちと、心優しい村人の微笑みに囲まれて、矩子は本当に幸せだと言う。

記憶の病にも拘らず、矩子の心は今までよりも遙かに健康そうに見える。多くの命に囲まれて、独りでいても退屈しなくなった。

矩子は散り逝く落ち葉に有り難う、と労(ねぎら)いを言う。野に咲く花や草を摘み取ることもしなくなった。親の位牌の前を除き、家に花を置かなくなった。〈悪い天気〉、と自分中心に自然をみる言葉も使わなくなった。

野に在る花を、生きているそのままの姿で愛でる心が日本にはある。花を摘んで持って帰るのは、命を無機質なものとして所有したい欲の心だ、という意味の文を私は読んだことがある。

近ごろ、持続とか循環という言葉を聴くようになった。この言葉を代表するのが水とみどりだ。命の大元として人類に汚されても、循環する中で繰り返し浄化され元に戻り、無償の恵みとなって多くの命を養ってくれている。

雌雄としての矩子と私の心の旅路

〈矩子（のりこ）、頭がパ～になって恒健（こうけん）の言うこと何がなんだか判らなくなるのよ。だけど恒健、私が死んでもこれだけは憶えていて頂戴ね。こんなになってしまった私を一生懸命大切にして下さったこと、とっても嬉しく幸せだったわ。忘れないでね、ほんとよ恒健〉。

これは妻の矩子のアルツハイマーの病がかなり進んだ「要介護度三」の頃、心が徐々に通じ難くなっていくのが悲しく、私が何とか心を分かち合いたく懸命に話しかけていた時に、矩子が私に残した言葉だ。

この言葉のお陰で、矩子の居ない今の私の寂しさを、少しだけだが耐え易くしてくれている。

元は他人だった矩子が、広大な宇宙の中でこんなに儚く大切な人になってしまったのを不思議に想いながらも、心と体で愛し合った悦びの余韻よりも、私は別離の辛さに圧倒されている。

この宇宙の百数一〇億年という時の流れの中で、矩子と偶然に出会い地球の時間を費やし合ったことで、心だけではなく体をも一体化する雌雄としての悦びを知った私、今は矩子の幻（まぼろし）を求めて心が空しく宇宙を彷徨（さまよ）う。

知り合った頃、私は矩子を〈ノコちゃん〉と呼び、矩子の眼には私が子どもっぽく見えていたのか、矩子は私を〈コボクちゃん〉と呼んでいた。

それから年月が経ち一緒に住み、全く性格の違う二人が正面から向き合い、理解し合いたいと葛藤をつづける内に、私は矩子を妻としてだけではなく、宇宙の唯一つの儚い命として見つめるようになっていった。

その結果、私は矩子を〈矩子（のりこ）さん〉とサン付けで呼び、矩子には私のことを〈恒健（こうけん）〉、とサン抜きで呼ばせていた。

〈矩子さん、今日も笑顔でほかの命の幸せを願って生きるからネ〉と今も、私のベッドの枕元の小さな壺に収まっている矩子に声をかけて起きるのが、私の日課になってもう四年近くが経つ。

この朝の挨拶は、矩子と私が長い年月を費やし合って、矩子の忍耐と私の執念で行き着いた、〈ほかの命の悦びの中に自分の幸せがある〉という、二人の生き方が言葉になったものだ。

矩子が骨折をして動けなくなるまでは、夕刻になると二階のベランダで、眼の前に見える南アルプスや後ろには八ヶ岳の山々、遠くに富士山が思ったよりも大きく見える贅沢な景色を前に、命、或いは近々訪れる旅立ちへの想いを話しながらビールを楽しむのが、二人の大切なひと時になっていた。

矩子が旅立ってしまった今、この贅沢な風景を独り楽しむ気にはなれず、私は居間のテーブルに矩子の写真とコップを二つ並べ、ビールや矩子が好んだ赤ワインを飲みながら話しかける。

〈矩子さん夢でいい、お化けでいいから出てきてよ〉、写真の矩子は黙って微笑んでいる。

死んだら夢に出ておいで、幽霊でもいい喜んで抱きしめてあげるからと、矩子が旅立つ前にそんな約束までしていたのだ。

幽霊はまだだが、夢にはもっと出てきてくれるのを期待しているのに、年に三回位しか出てこない。

矩子が迷子になる夢が多いのは、認知症が進んで迷子になった時に捜し回ったからだろう。夢の中で捜す場所も、ヨーロッパの街角だったり色々だ。走り周っていると眼が覚めて夢で良かったとホッとする。最も愛おしい雌雄として抱き合う夢は、通算たった二回だ。

毎夜夢にでてきてくれたら、夢は夢の中では現実だから、夢と現実の間を行き来できたら嬉しい限り、そんな夢を可能にしてくれる薬はないものか。私の眠れない夜がつづくのを心配して、医師が眠り薬を処方してくれた。安らかに眠れるのを期待していたら、矩子ではなく恐ろしい夢が次々にでてきて飲むのを止めた。やはり夢に薬は不自然なのだろう。

矩子と私はアルツハイマーが不治の病で、残された日々がそれ程長くないと知ったとき、励まし合って死に向き合おうと指切りをした。

覚悟をした後は、話し合っていた同じ話題でも、何をするにも性を交えるのも、凡てが愛おしく儚く、日々がとても貴重に感じられた。

〈微笑みながら死ぬまでに心を綺麗に掃除してから旅立とうネ〉、この約束を矩子は好きだった。〈心が綺麗になっていくみたい〉、と喜んでいた。

矩子は時折り、心の奥深いところに潜んでいる、正常な脳でも考え付かないような素敵なことを言ってくれるので嬉しくなる。矩子は私との長い葛藤の時期を、命や心のことを懸命に考えて過ごしていたのだろう。


私は今まで多くの夫婦（めおと）の生き方在り方を見てきたので、色々な想いがある。恋は貪り愛は慈しみ与え合う。

野生の生きものたちが性を交える場合、相手を必死に選び合うが、雄は命がけのことが多い。

だが人は恋をして結婚すると、夫は無理なく姓を交えることが可能になるからか、命の緊張が緩んで客観性を取り戻し、本能の恋と理解の愛の違いに目覚めて愕然とし、妻が話しかけても背を向けたりする。そうなると妻の心は飢える。二人の恋が、愛に変るかどうかの岐路に立ったのだ。

恋の甘い儚い夢は結婚のゴールで終わり、愛という未知へのスタート台に二人は立たされる。

私は、矩子と夫婦（めおと）になったら、私が希望を捨てず話しかけるから大丈夫、と簡単に考えていた。

矩子と私は別の環境に育ったのだから、考え方も生き方も違うのは当然だ。それでも私が心を開いて話しかけ理解し合う努力をすれば、数年で善い夫婦になる、と楽観していたけど人の心はそんなに単純ではなかった。

私の生きる究極の夢は矩子と二人、百数一〇億年の宇宙で唯一度の命と命、互いの心を深く理解し合い、ほかの多くの命と伴に生き、その幸せを願いながら、与えられた雌雄の日々を謳歌することにあった。

一方の矩子は、勉強が好きで浮ついたところがなく、大学の哲学や文学の講座で賢人たちの色々な生き方を学んだことに影響されたのか、人は生きて独りで死んで逝くのだから、夫々の違いを我慢し合って生きるのが夫婦と思っていたようだ。

〈仲の良い友だちみたいな夫婦ではいけないの？〉と、矩子は私に云った。

これでは理想と現実という基本的な点で二人の心の間に大きな壁がある。

この壁を取り除こうと、私があらゆる言葉や方法を使っても、矩子は普段の素直さとは違ってなぜか心を閉じてしまう。

話し合って、生き方の違いで衝突するのを矩子は懼（おそ）れているのだろうか、私が心が通じるまで話しつづけようとするほどに、並外れて我慢強い矩子は反論せずに黙ってしまう。そうなると私は童話の逸話の北風さんになって、心の扉を開こうとしながら歳月ばかりが流れていく。

私は何でも六年、寝食を忘れるほど集中し努力すれば、達人の域に達すると考えていた。だがそれは、矩子への想いには当てはまらなかった。

事態が思わしくない時、人の言葉を善意にとれず、互いに物事を悪い方に解釈する危険がある。思い余って離婚していたら今頃どうなっていたか。

矩子の回心――こころの壁の消滅――

希望を捨てなければ恋と違い、時間を紡（つむ）ぎ合えば、紡ぎ合った時間に比例して互いに大切な存在になっていく。

矩子は自然を観ている内に、矩子に私が語りつづけてきた命の二つの掟、命には連帯し共に生きる本能があることと、自然の循環が命に与えてくれる無償の恵みの有難さを、矩子がはっきりと悟ったのだ。この悟りは、矩子の生涯の生き方に、〈回心〉とも云える大きな転機を与えたのだった。

私の生き方の基本になっているこの二つの命の掟は、長年空を飛びながら或いは高い山に登って命のことばかり考えていて自然に辿り着いた、いわば私の経験から生じた〈雲上の哲学〉だった。

矩子は、〈こんな心の爽やかな幸せは初めて〉、と云ってとっても喜んだ。性格の全く違う矩子と私が葛藤をつづけてきた末に、〈二つの命の掟〉自然の歓びで一緒になれて心の壁が消え、二つの心が溶け合った瞬間だった。

矩子と私が激しい葛藤を乗り越えて、落ち着いた雌雄になれたのは、矩子が並はずれて我慢強い性格だったのと、私には自分から希望を捨てない性格があったからだと想っている。

私の幼少期の奇妙なあだ名は、多分友人の親御さんが付けたのだろうが、〈執念〉だった。それから後に〈猪突〉が加わった。

夫婦の心の在り方は二人での作文と同じように私には想える。夫婦は心を添削し合って理解を深め、時間を費やし合うほど夫婦の絆は更に強くなる。理解し合おうと添削し合った互いの心は、書き込みだらけで真っ赤になっている筈だ。

愛し合うのは理解し合うことなのだろう。自然の掟に生きたインデアンの言葉では、理解と愛は同じ言葉だそうだ。

黙っていても心が通じ合う夫婦とは、心の添削をし合った後に訪れる静寂を云うのだろう。

年月を費やし合い夫婦の葛藤を乗り越えて、晩年を美しい山々に囲まれた命ゆたかな里村に移り住み、矩子と私は雌雄の命の掟、涅槃とも思える境地にやっと辿り着いた。

目的を定め〈想いつづけていればいつの日か夢は実現する〉、と私は思って生きてきた。目標さえ決めて走り出せば、諦めなければ路は拓ける。

結婚する意味は人類に薄れてしまった命の掟、「連帯する本能」を夫婦して懸命に取り戻し、つづく世代に引き継ぐことではないだろうか。

矩子と私の心と生活がやっと落ち着いたのは、二人の子どもが巣立ってからかなり後だったので、子どもたちに静かな温かい家庭を与えられなかったのが、この世での私の悔み切れない大きな心残りだ。子どもたちには取り返しのつかない可哀相なことをしてしまった。

子どもたちが自らの生き方を確立し、ほかの人の喜びの中に自分の幸せを見つけながら、この宇宙でたった一回の命を精一杯生きて欲しい。

二人の走馬灯

私は体育会に属し、矩子と違って何のための勉強かも分からず、試験期はいつも友人宅に泊まって援けられ、試験のための勉強しながら四年が経ち、私は、実質的には体育会を卒業した。

〈何のために勉強するのか〉と、生きる上に最も大切なことを、子どもや生徒に聞かれたら、大人はきちんと答えて欲しい。

もし矩子に無いもので私が誇れるとしたらテニスの戦績か、変わったところで幼い頃の桃源郷のこと、私は森で小鳥たちと遊ぶのが大好きで何の鳥か瞬時に見分けがつくし、小鳥の啼き真似が上手だったので、寄ってくる小鳥さんたちが居てくれたのは至福の時だった。誇れるのはそのくらいだ。

矩子は私と違って運動を好まず、日本のタイトルを幾つか持っている私のテニス歴に全く興味を示さなかった。勉強を好んで花は好きだが、森にいる小鳥の名前は知らなかった。云わば矩子と私は生活の上では接点の殆どない二人だったのだ。

その矩子が旅立った後、矩子の持ち物を整理していたら、多くの手紙類や日誌がでてきたので読んでみた。それによると、
一九五七年カラヤン指揮のベルリン交響楽団の来日の折り、楽団の二人の演奏者が、東京で出会った矩子に恋をしてしまっていた。
矩子にドイツに来て欲しいと、二人からの数一〇通を超える英語とドイツ

語の恋文が残っており、その恋文への、矩子の英文での断りの返事の下書と、別の日誌には日本文の感想が書かれていた。

それを読むと、矩子がそれまでに出会った男ごころに、如何に慎重だったかを読み取れるだけでなく、自分の生き方までしっかりと書いている。

私の知りたかった矩子の生き方や考えを、日誌には周到に書いているのになぜ私に手紙や言葉で自分の考えを素直に伝えようとしなかったのか。

矩子の現実的で誠実な生き方と、私の勝手というか、夢を追いかけたがる生き方の違いを添削し合ったら、一緒に住めなくなると危惧したのか。

私には日誌をつける習慣はなく、その時やりたいことをして生きてきたし、その頃はまだ、矩子のように生き方を深く考えたことがなかった。

私は何かしたい夢をみたら、最終目標に向かって先ず考えずに走りだす。大きすぎる夢を達成するには何をしたらいいのか、やり始めてみないと分からないし、考えていたら心が萎(しぼ)むからだ。

走りだせばしなければならないことがはっきり見えてくる。そこで懸命に努力し、諦めなければ路は開ける。私の場合、一心不乱に努力していたら、その都度いつも私を援けてくれる恩人が現れてくれた。援けられ、心の優しさや思い遣りや、多くの困難に接しながら最後までやり通すことで、深く考えることなく私の生き方は自然に定まっていった。

その頃は自分のことに夢中で優しい恩人たちの心を知らず、今その慈愛の深さを想うと涙がにじむ。思い立って恩人を訪ねてお礼参りの旅にでたが、殆どの方が他界されていて、私はお墓にお詫びするしかなかった。


このような私の生き方は、学校で哲学と文学を専攻していた矩子の心には、子どもっぽく、危なっかしく見えていたのかも知れない。

何でも整理して置く矩子の性格から、恋文や日誌は隠されずに数一〇年、いつでも読める矩子の引き出しにあったので、矩子との葛藤に悩んでいた頃、私が覗き読みしていたら矩子の心を把握でき、もっともっと早く理解し合えたのに、と覗き読みを躊躇したのが心残りになってしまった。

〈出会いは不自然だった〉、と矩子が日誌に書き残しているように、矩子の姉とその友人と私三人で、昼間から賑やかにお酒を飲んでいた所に矩子が帰ってきたのが、私との最初の出会いだった。

不思議に想うのは、その不自然な出会いの後、男心に潔癖だった矩子が、私と二人だけでお酒を飲むのに、全く無防備だったことだ。

私は矩子亡き今、二つのグラスにビールを注ぎ矩子の写真に語りかける。〈慎重な矩子さんがなぜ僕には無防備だったの？〉、写真の矩子は微笑みながら私の眼を見つめている。

矩子から見たら体育会出身で不勉強の私は、勉強が好きで真面目な矩子の眼に、私は最も異質で〈危ない人種〉に見えなかったのだろうか。

矩子の旅立った後に聞いた唯一の手掛かり、とも言えないが矩子が友人に〈一緒に過ごすのは大変だけど、恋人としては最高よ〉と云っていたそうだ。

矩子とは何でも一緒に行動したがる私が、先ず自分で小型機の操縦免許を取った時に、直ぐに考えついたのが矩子と二人で、いわゆるセスナ機を操縦して世界を一周することだった。

二人で何か困難を乗り越えることで、心の絆を深めたかったからだ。そのため矩子にも操縦を習わせ通信士の免許をとらせた。長時間洋上を飛行中、私が眠い時に、唯まっ直ぐに飛んでいてくれればいい。

しかし、この企ては矩子にはあまりにも突飛すぎた。それに小型飛行機の性能は昔と殆ど変わらず、大海原を飛んでいくようには造られていないから確かに危険であり、矩子の両親の心配を考えて中止した。

だが矩子が航空免許を取ったのは、何を始めるのか、頼りにならない私の生き方に連れ添う覚悟があったのだろう。正規の航空通信士免許と飛行機の練習許可証、車でいう仮免許が日誌と一緒に大切に保管されていた。

矩子は卒業後も学問をつづけたかったようだが、空を飛ぶのだからと云う私の想いを入れて、その頃は珍しかったスチュワーデスになってくれた。

私は世界史だけは好きだったので、矩子には飛行先の美術館など、精一杯見学し遊ぶよう望んだし、矩子も旅先での多くの想い出を残している。

ほかに、矩子は独りは嫌と云っていたが、コペンハーゲンやパリに駐在し数か月間、独り住まいで北欧の静けさとパリの街を楽しんでくれた。

その後、先輩機長がローマの駐在にいくと聞き、その機長に私も副操縦士として一緒に行きたいと願いでてたら、結婚したら連れて行くと云われ、二人して直ぐ婚姻届を出した。

そのまま式をせずに赴任しようとしたら、友人の父君で大企業の会長が、〈それはいけない、生涯仲人はしないと決めていたけど、禁を破り私が仲人になって神主に代わり祝詞(のりと)を唱えて上げる〉ということで、会長宅の神前で夫妻による、前代未聞の結婚式を挙げてローマに出発した。

日頃私のことを非常識ねえ、と云っていたこの夫妻の、これまた常識破りの善意には、私自身も驚いたが、正統派の矩子や両親や兄弟たちは、さぞや驚いたことだろう。友人たちも急遽、ホテルでお祝いの会をしてくれた。

私の希望を叶えてくれた機長夫妻の駐在中の恩遇により、矩子と私の新婚旅行のような二年余、ローマに住んでヨーロッパに遊べたのは、二人の生涯の珠玉の想い出になっている。

矩子の旅立ちの日

病の発症以来、医師には〈アルツハイマーと闘う優等生夫婦〉と云われて一五年の月日が過ぎた二〇一九年、

〈死ぬ最後の日まで微笑んでいようね〉と病の初期に交わした私との約束を、

意志が殆ど通じなくなった後も矩子は守り、皆に毎日微笑んでくれた。

その日も矩子に特に優しく接して下さっていた介護の女性と私に、嬉しそうに微笑んでから眠りにつき、夜中にそのまま静かに旅立って逝った。

矩子のまだ温かいその唇に、有難うの心を込めて、私の唇を重ねてあげた。

眼をうっすらと開いたままの矩子の安らかな顔は、仏像のようだった。

夜が明けても、私と握り合っていた矩子の手は温かいままだった。

〈六〇年一緒に居てくれて有難う〉と書いた大きなカードと伴に、

矩子が愛し持ち歩くので、ボロボロになってしまった私の著書と、

友人が矩子に贈ってくれた可愛い絵本を棺（ひつぎ）に入れた。

こよなく愛しい妻だった。

そして今の私

天国には矩子が待っている、と多くの人が私を慰めてくれるのを、善意として嬉しく受け取っている。けれど死んだあと天国で会えると、人々は本当に信じているのだろうか。

だが科学的に在り得なくても、本当に信じて神に仕える人の心の優しさは、理屈なしに素敵な心の在り方だと想っている。

私の宇宙や宗教への想いは〈私の宇宙観〉に書いたように、最終的に私の死後を委ねるのは、悠久の宇宙を流れる素粒子の世界だ。素粒子のふるさと、大きな温かい宇宙の懐に帰るのだ。

人の情として私は、天国で本当に矩子に会えるなら私は早く逝って、私の生き方に歩調を合わせるのに精一杯で落ち着けず、現世で長くはなかった、心からの幸せな期間の埋め合わせをして上げたい。

私は矩子が居なくても、二人で精一杯生きたその想い出と、多くの野生の命たちや樹々のみどりに囲まれていれば、それほど寂しくならない筈だった。だがそうはならなかった。

私は体を独りにする訓練は積んできたが、心を独りにする訓練はしてこなかった。しなかったのは、心を独りにする訓練は、人との心の絆を、私の心から締め出す努力のように想えたからだ。

そして今、矩子と一緒に眺め、心を温めてくれていた山々を観ても、桜を観ても紅葉を観ても、庭に来る小鳥たちを観ていても、矩子が横に居ないと慰めよりも、想い出す哀しみの方が際立ってしまう。

私には、互いに真夜中でも喜んで電話を受けてくれる友人が居たのは生涯の大きな悦びだった。

心の友が居れば苦しみの中にあっても生きていける。生きていれば夜も明ける。

しかしその私が愛した大切な友人たちは、私を置いて旅立ってしまい今はもう居ない。そして私はまだ、独りこの世に生きている。

愛されるより、愛する相手が身近に居なくなることが、これほど私を辛くするとは想わなかった。

私が人を愛するのを矩子も喜んでいたので、矩子の私への心を汚さなければ、どんな形でもいい、一期一会、人を深く愛しながら生きていたい。

百数一〇億年の宇宙で唯一度の私の命、矩子と約束したように微笑みを絶やさず、私に残された日々を、人やほかの命たちをこの世で心ゆくまで愛し心置きなく旅立ちたい。

生きていて嬉しかったのは、愛されるよりも、愛せることに普遍的な歓びがあったから。

ふたりの祈り
つづく世代の命たちに
より劣化の少ない生命圏が
残りますように
矩子
恒健

出会った頃のふたり

矩子

恒健

スチュワーデスだった矩子

外国の雑誌の表紙になった私

私を「コボクちゃん」と呼んでいた頃の矩子さん

ローマ駐在の頃・スペイン広場で

私の北風の愛に悩み育った2人の子ども
ラストフライトに同乗

カモさんに遊んでもらって嬉しそうな矩子さん

私の著書を私よりも大切そうに持ち歩く矩子さん

テニス倶楽部のレストランで

サウスコルにて正面エベレスト山頂へ
友人作成の防寒具を着た私

テニス・デビスカップ日本代表（左端が私）

老境の私

第十章　私の挫折と老女に学んだ微笑みと幸せ

私の青春時の挫折

私がもの心ついた頃、字の読めないお婆ぁちゃんは珍しくはなかったし、それでもいつも心優しく幸せそうで、微笑んでいて横に居るだけでも心温まる年寄りも多くいた。そのことを想い出しながらこれを書いている。

私が学生の時に生きがいを失い悩んだ経験だが、哲学の書や宗教の経典に頼った結果、自分の心ばかりを見つめたために心が孤立化し、生きる意味が死への憧れに変わり、死への願望を美化しようとする深みに陥って足掻いていた。音楽に共感を求めたら、作曲者の心の悲しみに引き込まれた。

寂しさに堪り兼ね、巷（ちまた）でお酒を飲んでいたら心が沈殿した私の態度が異様に映ったのか、カウンターの隣りに腰かけていた外国人に〈Awfully quiet〉、異様に静かネ、と訝られた。

私の悩みはテニスの挫折だった。命の悩みではなくて、何だスポーツかと思われるだろうが、何であれ生きがいが消えるほど辛いものはない。テニスを始めて間もないころ、〈私はデビスカップの選手になる〉と云って周りを苦笑させた。まだプロテニスのなかった当時のテニス選手の憧れは、デビスカップの日本の代表になることだったのだ。

そんな私の相手をしてくれたのは、厳しい練習で鬼といわれたコーチだが、その鬼コーチが私を相手に練習中、私に休ませてもらえずに悲鳴を上げた程私は練習が好きだった。

雨の中でも練習し、土のコートをどんなに荒らしても、私を温かく支えてくれたコート整備の人や、テニスに打ち込み過ぎた私の扱いに困った両親に代り私を預かってくれた病院長夫妻の恩顧など、想い出すと涙が止まらない。病名をつけるなら、私は発達障害児だったと思われる。

それほど好きで心身を打ち込んでいたテニスなのに、故郷を離れて新しい練習環境の中で、私の適応性のひ弱さだろうが、奇異な慣例を前に、練習が自由にできずに心が萎(しぼ)み、テニスへの情熱が消えてしまったのだ。

生きがいが消えた私は青春の挫折の定番(おさだまり)のコースを辿り、お酒と音楽に逃げて二年が経った。

今まで私の人生の岐路に、不思議に私を援けてくれる恩人が居てくれたが、この時も又、腑抜けになった私を見かねてか、〈二度とない青春を勿体ない〉、と励まし相手をしてくれる恩人が現われ、私はテニスを再開した。

挫折した情熱は元には戻らなかったが、私はこの心優しい人の温情に報いようと、言われたことだけは練習した。

その結果、前に取った全日本のタイトル、ダブルスや国体を入れると八つに比して、挫折後に取れたタイトルは唯一つだった。

それに、テニスの技術は全く不満足だったけれど、一応最初の目標だったデビスカップの日本代表に選ばれて、テニスでお世話になった、生涯大切な人たちへの恩返しだけは、何とかできてホッとした。

以後、目標が消えた後の虚しさから、私は老齢になるまで自分からテニスをすることはなくなった。

この挫折で私が悟ったのは、自分のための夢の達成では、普遍的な幸せは得られないということだ。これは私にとって新しい発見だった。

こうして私の青春は終わった。

寝たままの老女に学んだ微笑みと普遍的な幸せ考

〈病み呆(ほう)けて寝たままでも、微笑みで周りの人たちを幸せにできるのね〉、これは以前に、矩子の母親が入っていた施設で、認知症で言葉も通じない、寝たままのお婆ぁちゃんの微笑が周りを明るくし介護のひとたちを喜ばせているのを矩子が見てきて、私に嬉しそうに言った言葉だ。

それで矩子と私も、〈最後の日まで、微笑みを絶やさずに生きていこうね〉、と約束した。

そして行き着いたのが「ほかの命の悦びの中に自分の幸せがある」だった。

この想いは〈心の旅路〉の項にも書いたが矩子と私の心の原点になった。

他人との悩みは鬱陶しいが、哲学書にある複雑な思想に生き方を頼るより、相手の言葉を善意に受け取る練習の方が、私には楽しく単純でいい。

家に篭らず外に出て、日常生活の中で善意をもって微笑んでいれば心が休まり、夜中に悶々と自分の心を思い詰めて自虐的にならずに済む。

色々考えて、幸せを願う心で人に微笑んでみたら、相手も微笑んで喜んでくれた。その時、私は何だか幸せな気持ちになれた。

これはテニスの目標の達成後に陥った虚しさから、自分だけの夢を満足させても幸せは得られないことを学んでいた私には、更に嬉しい発見だった。

ほかの命が助かった悦びに涙し、感動する本能があることからもこの嬉しさは理解できると思う。

路ですれ違ったとき、一寸した微笑みでいいし一日に一回でもいい。人の優しさに出会えるほど嬉しいことはない。世界がまったく違って見える。

その悦びを知って以来私は、すれ違った人にもなるべく眼を合わせ、微笑むようにしている。人の優しさには、いつも敏感でありたいと思う。難しく考えなくても太陽の笑顔の絵を想い浮かべるといい。いつも微笑んでいるのが最も簡単に周りを喜ばせるだけでなく、自分自身の幸せへの路であり、青い鳥の幸せも向こうからやってくる。小鳥たちや熊さんにも通じる命の本能に語りかける普遍的な挨拶だ。

微笑んでいると嬉しいことに人を批判する眼も穏やかな眼差しに代わる。

私がこんな平凡だが普遍的な考えに落ち着けたのは、命には連帯して繁栄する本能があると悟ったからであり、昔の無学の人でも人の幸せを願う善意の心だけで周りの人を幸せにしていたのを想い出したからだ。

それに、この世で出会った人は皆一期一会、宇宙の中でたった一回の大切な儚い命と想うようになったからだ。それは私が、空を飛んでいて地球の命のことを、いつも考えていたからだと思う。

第十一章　健康について

がんは治る時代というが

私は両親が医師の家に生まれ、幼児の頃から医師に出会う機会も多かったこともあり、医師一人ひとりもこの世で唯一つの大切な命、同じ儚い悩みを抱える人間同士、一期一会を大切に、医師の日々の幸せを願っている。

医師たちの勤務は〈二時間待ちの三分診療〉とも云われ、特に勤務医は、サラリーマンの中でも突出して多忙な職務にある。

ひと月の超過勤務の制限が普通のサラリーマンの約一・五倍で、勤務医の給与が少ないのにも驚かされる。

近代医療がなければ、命としての本来の人の寿命は、生殖適齢期から考慮すると四〇歳にも届かないだろう。

私たちが長生きしていられるのは高度な医療が発達しているからであり、その医療を懸命に支えているのが現場の医師であり医療従事者だ。

このことを、縁あって出会い私を支えてくれた医師や医療従事者への感謝のつもりで記しておきたい。

多忙な医師は数分で患者を診断するしかないので、患者は日頃から自らの体の状態を良く観察し、積極的に医師に自分の体の情報を伝えて診断と治療を受けないと、色々と齟齬が生じて診療も治療も円滑に進まない。

そこで、私が得た常識的ながんの知識や、友人が罹病したがんの治療法や、医師から得た治療を受ける場合の情報を書いておきたい。

がんも五〇~六〇%が治る時代だと云う。それは治療の日進月歩、手術や抗がん剤や放射線治療が進歩したからだが、定期検診を受ける機会が増えて、がんが早期に発見される確率が高くなったのが、大きな理由だろう。

検診を受けず、症状がでてから医療機関に行ったのでは、がんは既に進行しており、死亡率は以前と変わらずがんは死病、進行がんで死んで逝く。

がんはステージがゼロから四まであり、人はステージ三くらいまでは何とかなると思っているようだが、進行の早いがんや発見が難しいがんもある。

特に危険な膵臓がん

少しの間、顔を見かけなかった人の突然の葬式の知らせに驚かされたりするが、その多くは膵臓がんだったと聞かされる。

膵臓がんで重要なのは、他のがんと違って、手術をして完治し、手術後の抗がん剤を必要としないのはステージゼロの場合だけ、ということだ。

ステージ一で手術をした後もがん再発の可能性は残り、再発への不安の日々を生きることになるし、五年後の生存率は約五〇%だ。

膵臓がんの早期発見

私の膵臓にのう胞が発見された経験から、症状がなくても人の本来の寿命の四〇才位になったら先ず一度、医療機関で左記に記した、体に負担のない、膵臓の「ＭＲＣＰ検査」を受けることを勧めたい。

そうでもしないとステージゼロでの早期発見は運次第になる。色々な検査方法を書いておく。

「超音波検査」、集団定期検診で実施されている簡便な検査だが、この検査は胃の後ろに隠れている膵臓の状態を見るのが難しく、自治体の定期検診の統計を見ると、「超音波検査」でステージゼロでの発見は難しい。

「MRCP検査」、これはMRIの画像を処理して膵臓や胆嚢を診る方法で、発見の精度が高く体に負担がない。心配な人はこの検査を受けるといい。

「EUS検査」、MRCPよりも精度の高い検査だが、通常より管が太目の胃カメラを呑まなければならないので、手間とある程度の苦痛を伴う。

「EUS-FNA検査」、がんの疑いが高い場合に行われる。EUSの検査に付随して行い、膵臓に針を刺すので信頼度の高い病院で受ける必要がある。

「腫瘍マーカー血液検査」、血液検査で〈CA19-9〉を調べるが早期発見は期待できない。主に膵臓がんの進行の程度を診る場合に行う。

血液検査でのがんの早期発見は、前立腺がんのPSA検査を除いて期待度は低い。最近血液検査の研究が進んでいるので朗報を期待したい。

糖尿病は膵臓がんに移行しやすい

膵臓はインスリンを出す臓器でありインスリンの出が悪い糖尿病は、膵臓に異変がある警告なのだ。糖尿病の人は、年に一回は膵臓の定期検査が必要とされている。その前にまず一度、MRCP検査の受診をお勧めしたい。

糖尿病の発病の初期と、血糖値（Glu）が急激に上がった場合には、膵臓に突然に異変が起きた証なので、速やかに膵臓がんの検査を受けないと危険だ。

検査の概要

膵臓には主膵管という膵液が流れる細い管が通っていて、その管に分岐して枝が出ている。樹の幹と枝、又は木の葉を連想すればいい。

幹（主膵管）に膨らみがある場合、がん化している可能性が高い。がん化の判断点は、膨らみの太さが五ミリメートルといわれる。

枝（分岐型）にのう胞がある場合、悪性度は低いが、がん化する可能性がある。のう胞の場合は一〇ミリメートル以上が、がん化の判断点のようだ。

膵臓がんは進行が速いので、ステージゼロの状態に留まれるよう、医師に指定された定期検査の間隔をしっかり守らないと危険だ。

手術を受けるかの可否判断

がんのステージが三以上に進んでいて特に肝臓に転移していた場合、手術をしないのが標準の治療になっているようだ。

今は抗がん剤でがんを叩きステージ三以下に下げて手術をするのも可能になった。手術を希望するかは、本人や家族の選択肢となる。

大きな手術を受けて抗がん剤で苦しみながら僅かに寿命を延ばすよりも、手術をしなければ半年くらい、殆ど苦しまずに生活ができるようだ。よく効くようになった鎮痛剤で緩和ケアを受けながら、自宅で家族や友人に囲まれて、大切なひと時を苦しまず安らかに旅立つことも可能という。

眼のがん・私の経験

眼にゴミが入ったようなゴロゴロした感覚が一か月位つづいたので、先ずは町の眼科クリニックを受診したら、大きな病院に回された。検査の結果は〈結膜扁平上皮がん〉だったので、がんセンター病院を紹介して頂いた。

がんセンターでは年末の休診に入る前日に、有難いことに医師と看護師の厚意によって急遽夕刻、日帰りの手術を受けた。手術は痛くなかった。

手術後、抗がん剤の点眼治療を隔週ごとに三回、計六週間の治療を受けた。一回目の二週間は副作用はなかったが二回目の半ばから痛み出し、三回目は痛みが厳しく、最後の週の点眼には相当な決意を必要とした。

以後定期検診のみ。最初は三ヵ月間隔の定期検診から徐々に間隔を延ばし、四年目は六ヵ月間隔で通い五年が経過した。有難いことに現在再発はない。

がんの宣告で呆然としたのは介護中の病の妻のことだった。車の運転ができなければ生活は不可能になる。片眼でも運転免許は有効と知り、ホッとしたのを憶えている。幸い視力は残ってくれた。

肺がんと肺炎

私の肺に影が出た。肺がんの発見にはMRIよりもCT検査が有効と云われ、半年ごとにCT検査とX線検査を交互に受けている。肺がんかどうかの診断は専門医でも難しいようだ。

身を託している呼吸器内科医の勧めで、遠くのがんセンターで検診を受けて以後、双方の医師が連絡をとり合い、その指示で定期検査を受けている。診断の結果は肺炎の可能性が高いとのことだ。

知人の何人かはタバコを止めず肺がんで世を去った。肺胞の薄い膜がヤニで汚れていれば、何らかの病気になるのは当然と思われる。禁煙を嫌がる人には、タバコのヤニで汚れた無残な肺胞の写真を見せてもらうといい。

CT検査による放射線の被爆について

私は操縦士として、宇宙線の被爆を受けて飛んでいたので医療での被爆量に関心がある。CTの被爆量はX線検査に比べて桁違いに多い。

肺のCT検査の被爆量は一〇ミリグレイ、資料の目安によると一〇〇ミリグレイまでは被爆の害は殆ど無さそうだ。何故か撮影する体の部位によって、CTの被爆量に数一〇倍、或いはそれ以上もの違いがある。

前立腺がんとPSA検査

前立腺がんは血液検査〈PSA〉で早期発見が可能となり殆ど治るようになったが、血液検査を受けず命を落とす人が多い。身内はなぜ〈PSA〉の血液検査を受けさせなかったのか、生涯悔み切れないことになる。自治体の定期血液検査に追加し〈ＰＳＡ〉検査を受けるよう強く勧める。

大腸がんと検便

検便検査での大腸がんの早期発見率は高いので、自治体の定期検査の時、この検査を強く勧める。反応が陽性に出たら速やかに内視鏡でがんの有無を調べて欲しい。私の経験では、検査時の下剤は随分呑みやすくなっていた。検便が陽性ということは、口から肛門までのどこかに異常があるのだから、腸カメラと同時に胃カメラの検査を願い出るといい。食道も診てもらえる。

胃がんとピロリ菌

胃がんの原因はピロリ菌と云われるほどだ。胃のピロリ菌を除去すると、胃がんになる確率はかなり低下する。但し、ピロリ菌は再感染する可能性がある。血液検査でピロリ菌の有無が分かるので医師と相談するといい。

私と健康

健康を保つ基本は日々の運動にある

体を動かせるのに運動をせず、健康を害している人を対象にこれを書いた。運動が百薬の長なのは間違いない。反対に、運動不足は最大の不摂生だ。運動不足は血の流れを淀ませて体に老廃物を溜めこむからだ。血を淀ませると血管はたちまちドブ川化し、高血圧・中性脂肪・糖尿病・コレステロール・尿酸値など、血液検査の値が悪化して、人は間違いなく成人病になる。

人の体の毛細血管の長さは何と一〇万キロメートル、地球を二周り半だ。この極細の血管の血には、五〇兆個もある細胞の一つひとつに酸素と栄養を届け、老廃物を受け取って体外に排出するという大切な役目がある。

運動をすると爽快感が湧くが、老廃物を流してもらった細胞が喜ぶからで、宇宙の循環の流れに沿って生きている幸せに包まれるからだ。人は血の循環を通じて宇宙と繋がっている。

血流を速くすれば健康を保てるのだから、唯歩いているのでは不充分だ。早歩きで脈拍を上げ、辛くなったら速度を落とし脈が落ち着いたら又早歩きをする。血圧も下がる。基礎疾患を念頭に早歩きを主体に自分で考える。

多くは少し息が上がると運動を止めるが、現状を維持したければ、充分と思った時点から、少し頑張って一割位余分に運動をつづけることを勧める。一割を健康を保つための貯金と思えばいい。

私は長年、家でも街の駅でも階段は駆け上がり、雑踏では人との衝突を避けながら休まずに、連続できる目一杯の速さで歩いてきた。

私の経験では、傷に膿が溜まっていても、運動で血を早く流してやれば、膿が早く出尽くしてくれた。肺に溜まる痰も出てくれる。

このような積み重ねが健康の蓄えになり、八七歳を過ぎて転んでも敏捷な受け身によって、肘の擦り傷だけで骨折の恐怖感は全くなかった。

残念なことにこの二年来、左ひざの手術の後が痛みだし、今は重い買い物を持てなくなり、街の歩道橋の登り下りも困難になった。

だが体力が落ちるので、常識では静養を要する位の痛みを我慢しながら、テニスマシーンを相手にテニスの基礎練習をつづけている。

朝のTV体操のすすめ・規則正しい悦びの日々を

地球の回転の周期にしたがって生きるのが心身共に健康なように体はできている。そこで私は妻と朝のTV体操に合わせて起きる習慣をつけた。毎朝決まった時刻に起きると、四季の移り変わりを体で感じるようになる。それは生きものの本来の生き方であり、宇宙の時の流れに浸る悦びだ。

私は眠くても同じ時刻に起きる。朝寝したら一日の周期が後ろにづれて、夜寝る時刻に眠くならないからだ。人は起きる辛さよりも仕事や試合の前に眠れないで悶々とすることの方が断然辛い。

TV体操の良い点は人の動きが見えることだ。動きを正確に模倣し、曲げたり伸ばしたり飛び跳ねるところをしっかりと行える利点がある。

高齢者は平衡感覚が必要な運動に留意して体操すれば、日頃つまずいても転びにくくなる。私の経験だが、家での滑りやすいスリッパや毛糸の靴下は、滑って転倒する危険が高くなる。車付きや折り畳み椅子はとても危険だ。

年老いて私が気が付いたのは、周りの人は私がよろけたら抱き止めようと身構えていることだ。抱きつかれて私は老人だったと苦笑する。

体の中を血が生きいきと循環すれば心地よく、笑顔が増えれば幸せも向こうから寄ってくる。

便秘

私はなるべく薬に頼らずに生きていたい。だが、運動不足と便秘の放置は最大の万病の元。排便で快感を覚えるのは毒素が消えたのを本能が喜んでいるからだ。私は医師の処方の漢方薬〈ツムラ一二六〉か、〈モビコールＨＤ〉で何とか毎朝、便秘を凌いでいる。

良性頭位めまい症

数年ごとに目まいが再発した。起きていれば目まいはしないが、寝返りや歯の治療で仰向けになると天井が廻る。

〈エプリー法〉YouTubeの上手な耳鼻科医ならその場で治せるが再発する。

自分でも治療を試（こころ）めるが難しくかえって症状を悪くすることがある。漢方薬〈ツムラ三七〉は良く効くようだ。私はこの薬を試して以後再発はない。

歯槽膿漏

野生の動物は歯を磨かないので人も同じ動物だと、エベレストの氷の中でひと月以上歯を磨かなかったら、都会に帰って歯茎から血が出て歯槽膿漏と診断され奥歯が抜け始めた。野生動物の歯は寿命と一致していて虫歯になる頃に死ぬので、虫歯のある野生動物を見かけないのだった。

今は歯科で二ヶ月に一度の歯の掃除に通い、真面目に歯を磨きつづけて、一六本の前歯で入れ歯をせずに頑張っているが、屡々舌を噛むので、痛くて苦労している。

かかりつけ薬剤師

妻の介護以来、処方薬は同じかかりつけの薬剤師の方から頂いているが、その時に、薬のほかに色々な情報を得られて重宝している。

医師や薬の効き具合や、薬の飲み合わせや飲むタイミングの注意なども参考になる。多くの薬や漢方薬の知識や効能や、市販の薬を求めるときの助言も得られて有難い。

独り住まいと私の看取り

妻の矩子が居なくなり、子どもも身内も遠くにいるので独り身になった。運の良いことに、都会から看取りを専門にする医師が近くに移住してきた。初対面の時から、何の心の抵抗もなく話し合えて、有難いことに訪問医師と看護介護の訪問で私の最後を看取って頂けることになった。

有難いことに私の生涯で何かの選択が必要な時になると、不思議に私を援けてくれる人が現われる。それだけでなく私の大切な人にもなってくれる。

看取り専門医の助言で決めたこと

運よく良い施設に入れても、最後は病院に移されて死を迎えることになる。救急車を呼ぶと、病院の目的は患者の延命だから、入院すれば治療はつづけられて、点滴で水膨れになったり、安らかに死ぬこともままならないかも知れない。

今は医療も看護も介護も薬も風呂も食事も掃除までも、在宅訪問で済むとのこと。それなら病室に居るか自宅のベッドに居るかの違いになる。

病院の相部屋で内側のベッドであれば空も見えず、白いコンクリーの壁を見ながら最後を迎えるより、住み慣れた自宅の部屋に居た方が断然良い。

施設では月一五万円位必要かも、自宅の維持費の支払いもある。だったら自宅に居て、庭の手入れや買い物も含めて、施設に入ったつもりのお金で、家政は外注にすればいい。

自宅なら好きなことをしながら自由に過ごせるし好きなビールも飲める。旅立ちが近ければ制限する意味がないので、在宅では何でも自由が赦されるのだ。病院の入院中、お酒を飲んで見つかったら間違いなく追い出される。

近所のお百姓さんも私の旅立ちが近いからか、親切に声をかけてくれる。ということで、山好きなら垂涎（すいぜん）の、南アルプスも富士山も八ヶ岳も観える、自宅の部屋から旅立つことにした。

妻の矩子のように私も、微笑みながら旅立ちたい。

原子力発電そのものに事故がなければいいのか

〈つづく世代に問題を先送りしてはならない〉、これは近頃、政府が口にする言葉だ。それならば、

先送りしてはならない最悪の例が、使用済み核燃料だ。何万年という永い期間、つづく世代に核の管理と強制労働を押し付けるからだ。

原発そのものに事故がなかったとしても、或いはミサイルの飛来も、破壊テロ活動もなかったとしても、原発の使用済み核燃料の毒は溜まりつづけ、万年の単位でつづく世代に残される。

原発保有国の核廃物の保管計画を見ると、万年～数一〇万年、最も永い国は百万年の時空が必要としている。

現人類が現われたのは遙か昔のようだが二〇万年しか経っていない。僅か七〇年間の人間の欲望を満足するために使用した核燃料が、危険な放射線を出すために捨てられず、現在地球上に溜まりつづけている。

その溜まった核廃物の管理費用と強制労働を、人類の起源と同じくらいの永い期間、つづく世代は拒否できないという、取り返しのつかない既成事実ができてしまっている。

これは人類の子孫にたいする、想像を絶する罪悪に思えるが、この現実をどう理解したらいいのだろう。

原発を推進、或いは再開しようとする人が、この現実を知っていて、それでも原発の運用を進めているとしたら、私たちは命の未来について何を語り、どう理解し合えばいいのか。

運よく事故がなければ原発の耐用年数を延ばすなどして、安全管理費用を〈合理化〉するのも企業の性（さが）だ。収益を上げるために、初等教育もままならない貧富の差の大きい国に原発を輸出すると、富裕国でも見通しのつかない管理と核廃物の処理はどうなるのか。

原発の推進再開をいう人は、一〇万年もの後までの子孫に核廃物の保管を強要して、心安らかにこの世を去ることができるのだろうか。

つづく世代の負担を少しでも軽くするため、直ちに原発を停止して核廃物の量がこれ以上増えないようにするのが、せめてもの思い遣りと、私たちが犯したエゴへの贖罪であると考える。

使用済み核燃料の捨て場の受け入れという重大問題を、村町単位の少人数での多数決で決めるのも異様だ。数千世代の子孫は多数決に参加できない。核廃物問題は、現代人が残した負債の管理を万年単位でつづく世代に願わざるを得ない、人類が叡知を尽くして考えなければならない重要な問題だ。人智を尽くさず財政困難な自治体に補助金を利用し、核廃棄物の保管場所を受け入れさせるのは、人間性の根本を揺るがすことではないだろうか。

もしも人類が居なくなったら核が漏れ出し、核の毒は地球の循環を巡って生きものたちの中に濃縮されて、ＤＮＡを破壊しつづける。核廃物は人間の誇る脳による、多くの命たちへの置き土産になってしまった。

人間が消費したものは全部地球の循環に戻し、つづく世代に安全で美しい地球を残して逝くのが、命の持続と繁栄のための「命の掟」の筈だ。

原発が機能的に一〇〇％安全であっても、原発をミサイルで攻撃する狂暴な指導者が現われる確率の高さは、この数一〇年の現状が示している。貧富の差をそのままに原発を守るのは困難だ。世界の諸悪の根源に貧富の差がある。貧富の差がなければミサイルを発射する動機は消える。狙う方は小型のミサイルでいい。原子炉だけを守っても駄目だ。貯蔵庫に命中すれば巨大核弾頭ミサイルに変わる。

貯蔵用プールには大量の使用済み核燃料が保管されている。再処理工場にもある大型プールの貯蔵設備は無防備に近く、特に数一〇キロメートルもの長い冷却用のパイプは無防備だ。ミサイルの攻撃で冷却不能になる。

倫理的問題もある。社会保障にも事欠く非正規雇用者が集められ、放射線を浴びながら働いている人たちは事故のとき、一般人の数一〇倍、一〇〇倍もの被爆労働を認可され、その保証も被爆の実態もはっきりしない。

原子力発電の原理

原発の原理は、石炭を燃やす代りに、星を生成する天文学的な高熱を出す核燃料で、僅か百度Cで沸騰するお湯を沸かして発電する。

将に天文学的に熱効率の悪い、莫大な熱エネルギーを環境に捨てる不経済な発電を、経済学では何と説明するのだろう。

発電した使用済み核燃料は、何万年も放射線を出しつづけるし、温度も中々下がらないので捨てられず、つづく世代に何万年も管理させようというのだ。こんな不経済な発電所に投資する人はいない。

何故にこんな無理をしてまで、延々とつづく数千の世代に、人類が憧れる愛とは無縁の、不条理極まれる負担を押し付けてまで原発を稼働するのか。

核兵器の保有や使用を含め、同じ人間でありがら私は心の通じ合えない人たちを批判するのは辛いし、人間性を絶望させるようなことは書きたくなくて、悶々としながら最後の頁まで来てしまった。

原子力を利用した時代に生きた一人として、このまま旅立つのは慚愧の念に堪えない。

エピローグ

私の初飛行の時の、丁度その頃から地球は汚れ始めた。それ以来六〇年余、私がこの世を去ろうとしているまさにその時期に人類は、自ら築いた巨大な壁に衝突しようとしている。

この宇宙でただ一度の私の命、生まれた時期の何という運命のめぐり合わせなのか。苦難を背負う、つづく世代を想うと心が痛む。

想い返すと人前での話が全く不得手な私だった。そんな私が生涯、地球の命の未来を考えながらオロオロ過ごし、空から見つづけてきた生命圏の危機を、小冊子や著書で社会に訴えてきた。しかしプロローグに書いたように、この問題は私の能力の範囲をあまりにも遙かに超えていた。

今回もこの著書の内容は、ただでさえ低い能力が、老いて更に落ちた今の私には荷が重すぎたけど、これが、私が私に生まれた役目かも知れないと想い、旅立ちの近いことも考えて精一杯、寝もやらずに書いた。

私の基本的な生き方は変わっていないので、前の著書に載せた私の大切な想いを書いた文章のいくつかは、少しの補正で殆どそのまま記載した。

私は総合同人誌『中央線』（発行人・大村智博士）に属し、毎号に原稿を投稿しているので、その中のいくつかも、補正加筆して記載した。

そしてこの世で、六〇年余の年月を一緒に過ごした妻の矩子のこと。

世には色々な雌雄の生き方がある。矩子と私の夫婦模様が、若い人たちの雌雄の在り方の何か参考になれば嬉しいと思い、雌雄として一体化しようと精一杯に生きた、矩子と私の生き様を、心して素直に書いた。

矩子は不勉強で体育会卒業の私が、運動の本ではなく、つづく世代のことを想って懸命に原稿を書くようになるとは、思いもよらなかったろう。

旅立つ前の矩子はいつも、部屋の中も出かけるときも、私の著書を抱きしめて持ち歩いていた。よほど嬉しかったのだろう。愛おしい妻だった。

おわりに私の子どもたち。温かい太陽ではなく北風さんのような愛し方で、私は子どもたちの心を委縮させてしまった。愛し方には執念ではなく、愛の技術が必要だったと思い知らされている。

この世で私の悔み切れない心残りになってしまった。可哀相なことをした。もし来世があるのなら、この本に書いたような私でよければ、親子のやり直しをして上げたい。

「矩子と私の心の旅路」にも書いたように、

子どもたちが、ほかの人の喜びの中に自分の幸せを見つけながら、自らの生き方を確立し、この宇宙でたった一度の命を精一杯に生きて欲しい。

帯に文を寄せて頂いた神宮寺前住職髙橋卓志さんはチェルノブイリ原発事故では医師と一緒に被災地に三六回も入り、東日本大震災では南相馬に拠点を置き数か月、二〇年もタイ国のエイズホスピスに通い、沖縄の慰霊に毎年、原爆罹災者の鎮魂、南の島々の遺骨収集にも同行した。

ひと様の幸せに生涯を尽くしたその髙橋さんが、不安な緩和ケアの病床で、私の原稿を読み〈安(やす)んじて死んでいける〉と述べている。
「命を見つめたこの帯の詩」を前に、私は唯絶句し涙するのみ。

現代企画室と、小倉裕介さんにはいつも私の想いを快く著書にして下さっていること、今回はとくに、現代企画室の江口奈緒さんの応援を頂いて出版できましたことに、心を込めて感謝の意を表します。
有難うございました。

二〇二三年　初夏

［著者紹介］

岡留恒健（おかどめ　こうけん）

1934年福岡県福岡市に生まれる。

1956〜1957年テニスのデビスカップ日本代表。

県立福岡高校、慶應義塾大学卒業。日本航空に地上職入社後、熱望して操縦士に転向。

日本航空元機長、総飛行時間17000時間、航空功労賞（運輸大臣）。

1960年初飛行以来、地球を空から眺めつづけて生命圏の危機と、
世界の諸悪の根源が貧富の差にあることを訴えてきた。

日本ユニセフ元評議員、日本航空を通じて30年余ユニセフの普及に従事した。定年時、国連ユニセフ本部事務局長グラントさんからお礼の手紙。

夢みるこども基金元理事。

1986年エベレスト登山、酸素ボンベを使用せず約8100メートルまで。


—著書—

『機長の空からの便り—山と地球環境へのメッセージ—』山と溪谷社、1993年

『永い旅立ちへの日々』現代企画室、2012年

『人類の選択のとき』現代企画室、2014年

『命に善いものは美しい』現代企画室、2020年

英文「1980, Growth beyond the limits of the Earth」kindle版、ゼロメガ社、2016年

日英版「Crises of humanity: As seen from stratosphere since 1960＝成層圏から見た人類の危機」YouTube、2017年　https://okadome.infoで公開されており日英文PDFをダウンロードできるほか英文ナレーション付きの動画でも視聴可能。

経済成長の終焉と生命圏の崩壊
―指数関数の妖怪に呑まれる地球―

2023年10月15日 初版第一刷発行
定価1,800円＋税

著　者　岡留恒健
発行所　現代企画室 http://www.jca.apc.org/gendai/
東京都渋谷区猿楽町29-18ヒルサイドテラスA8
Tel. 03-3461-5082 Fax. 03-3461-5083 e-mail. gendai@jca.apc.org
装　丁　上浦智宏（UBUSUNA）
印刷所　中央精版印刷株式会社

ISBN978-4-7738-2307-3 C0036 Y1800E